Ken Goddard

CSI: Extreem

Karakter Uitgevers B.V.

Oorspronkelijke titel: CSI: In Extremis

This edition published by arrangement with the original publisher, Pocket Books, a division of Simon & Schuster, Inc, New York.
Vertaling: Fanneke Cnossen

Ontwerp omslag: Björn Goud
Omslagbeeld: Corbis
Opmaak binnenwerk: ZetSpiegel, Best

ISBN 978 90 6112 327 9
NUR 332

Ik vraag me af welke prijs er op jouw hoofd staat, Grissom?

Mialkovsky stelde de kruisdraden van zijn nog naar een balans zoekend telescoopvizier scherp op het hoofd van de CSI-chef. Waarschijnlijk een enorm bedrag, maar wie had het lef om daartoe de opdracht te geven, in de wetenschap dat de andere CSI-teamleden tot in het oneindige naar de moordenaar zouden blijven doorzoeken... of naar degenen die de zaak in gang hadden gezet.
De gedachte dat hij bij zijn collega's bekend zou staan als de enige huurmoordenaar die de gotspe had om de internationaal vermaarde Gil Grissom met een enkel schot om te leggen, en er in zou slagen om aan de daaropvolgende klopjacht van een legertje wraakzuchtige technisch rechercheurs en forensisch wetenschappers te ontkomen, sprak Mialkovsky op een merkwaardig verknipte, *special operations*-achtige manier wel aan.
Maar hij was niet van plan toe te geven aan de macho-impulsen die ooit de motor waren geweest achter zijn gewelddadigste, gevaarlijkste en succesvolste missies. Die puberale vlagen van waanzin was hij allang ontgroeid. Althans, daar ging hij van uit.
In werkelijkheid wist Viktor het eigenlijk niet, en het maakte hem ook niet veel uit.
Maar één ding wist hij wel zeker: een spelletje spelen met een slimme en vindingrijke technisch rechercheur als Gil Grissom was pas echt een waagstuk. En ook al had hij gezworen het niet te doen, hij had het Clark County-contract toch aangenomen, want het geld was niet te versmaden geweest...

Ter nagedachtenis aan strafrechtkenner John Davidson uit San Bernardino, een geweldige vent die me lang geleden heeft geleerd hoe je met een rekenliniaal en driehoeksmetingen een schietincident kunt reconstrueren... en aan de ons onlangs ontvallen vriend, brigadier Tom Lamping van de politie in Whittier (Californië), die leven en tegenspoed tegemoet trad als een toegewijd echtgenoot, liefhebbende vader, kundig vakman en onverzettelijk politieman.

1

Net als het jonge muildierhert in het vizier van zijn geweer was Viktor Mialkovsky een geduldig schepsel, dat graag eerst zijn omgeving langdurig in de gaten hield voordat hij een beslissende zet deed.

Maar in tegenstelling tot het schichtige zoogdier – dat nu beefde van angst op ongeveer tweehonderd meter afstand van zijn hoge positie, met uitzicht over de rotsachtige open plek onder hem – was Mialkovsky verre van ongevaarlijk.

Dankzij een grondige en intensieve hoeveelheid training en ervaring, allemaal betaald door de Amerikaanse overheid, was Viktor Mialkovsky perfect in staat om zowel mensen als wilde dieren te doden. Hij had de beschikking over een ruim scala aan dodelijke wapens, waaronder je ook zijn blote handen mocht rekenen. Als resultaat van diezelfde training en ervaring werd hij onder zijn collega's en supervisors, die persoonlijk met zijn vaardigheden hadden kennisgemaakt, ook beschouwd als een uitstekend jager, spoorzoeker en overlever. In de samenvatting op het omslag van zijn persoonlijk dossier waren de woorden 'taakgericht' en 'emotioneel onthecht' gemarkeerd en nadrukkelijk onderstreept.

Als Mialkovsky evenveel kameraadschap had gehad, en respect voor teamwork en gezag, dan zou hij de ideale jager-doder voor de regering zijn geweest: een oneindig flexibel menselijk wapen dat bij de moeilijkste tactische problemen uitgekiend kon worden ingezet. En als het aan al die mensen had gelegen die voor zijn training en dienstopdrachten verantwoordelijk waren geweest, was dat ook absoluut de bedoeling geweest.

Maar het duurde niet lang of deze doorgewinterde supervisors concludeerden dat hun ogenschijnlijk ideale jager-doder ongevoelig was voor gezag en voorschriften, en dan vooral voor de dienstregels, en zonder uitzondering voor de andere mannen en vrouwen die bij zijn missies betrokken waren. De meesten van hen waren ervan overtuigd dat Mialkovsky's zogeheten 'emotionele onthechtheid' niet veel te maken had met het feit dat hij zijn gevoelens goed kon verbergen – hij had ze eenvoudigweg niet.

Dit waren ernstige onvolkomenheden die al lang voordat zijn talenten onbeheersbaar werden het einde van Viktor Mialkovsky's overheidscarrière hadden moeten betekenen. En dat was ook zeker gebeurd als hij niet al van kinds af aan in staat was geweest om bijna als een dier in de structuur van zijn omgeving te verdwijnen – zowel geestelijk als lichamelijk.

Geen intelligentie- of persoonlijkheidstest had ooit de achterdocht van zijn supervisors bevestigd, nergens stond iets opgeschreven over zijn twijfelachtige acties en er had zich nooit ook maar één enkele ooggetuige gemeld.

Voor zijn supervisors en de buitenwereld in het algemeen kwam het er dus op neer dat Mialkovsky rustig zijn eigen gang kon gaan.

Hierdoor, en in combinatie met zijn ontzagwekkende talenten en ervaring, werd hij extreem gevaarlijk voor alles en iedereen die toevallig zijn pad kruiste.

Dus beloofde het voor het jonge hert niet veel goeds dat hij zich uitgerekend vanavond tegelijk met Mialkovsky schuilhield op een paar smalle, aan elkaar grenzende rotsplateaus, die juist over deze open bergplek uitkeken. Maar de aanwezigheid van het doodsbange hert leek de schijnbaar ongevoelige jager-doder slechts te amuseren. Hij hield even de hertenkop in zijn vizier voordat hij zijn blik systematisch naar de volgende sector verplaatste.

Het was een toevallige beslissing, die ongetwijfeld vraagtekens had opgeroepen bij het legertje psychiaters dat door de jaren heen Viktor Mialkovsky's psyche ijverig met hun batterij standaardtests had onderzocht en wat uiteindelijk niets had opgeleverd.

Deze specifieke beslissing van Mialkovsky was inderdaad opmerkelijk, want het zou de jager-doder slechts een fractie van een seconde hebben gekost om een van zijn bewerkte 7.62x51 hollow point NATO-kogels door de kwetsbare hertenkop te jagen. Als hij dat had gedaan, dan wist hij zeker dat zijn belangrijkste wapen goed functioneerde, dat hij zijn vriezer met extra vlees had kunnen vullen en had hij één onvoorspelbare factor ter plekke minder gehad. Allemaal voordelen, en zijn voorgenomen taak zou er nauwelijks door in gevaar komen.

Uitermate 'taakgericht' dus, ja.

Feitelijk had hij tijdens dat korte, bedachtzame moment wel even overwogen om de trekker van zijn repeteergeweer met geluiddemper over te halen, simpelweg om nog eens te controleren of de 80mm opening van de ATN 4-12x80 dag/nachttelescoop wel accuraat was... en om het de komende uren wat spannender te maken.

Maar uiteindelijk deed hij het toch niet en wel om vijf heel specifieke redenen.

Om te beginnen had hij het op een ander specimen gemunt.

Daar had hij zijn vizier al op scherpgesteld nadat hij een eind verder op het pad de strandbuggy had neergezet en verstopt.

Hij had geen behoefte aan extra vlees in zijn vriezer, want hij had geen vriezer; in elk geval niet in deze staat.

Voor het totale plaatje deed het dier er niet toe.

Maar in werkelijkheid ging het er gewoon om dat Viktor Mialkovsky niets zag in het hele genadeschotconcept, linksom of rechtsom. Dat was in zijn ogen de taak van de andere roofdieren in het gebied – de poema's en prairiewolven – die het hert uiteindelijk wel zouden insluiten.

Het was niet nodig om het evenwicht van Moeder Natuur te verstoren. In elk geval niet meer dan voor zijn doeleinden van vanavond absoluut noodzakelijk was.

Dus bleef hij op zijn hoge uitkijkpost in het National Wildlife Park in de Nevadawoestijn zitten, zocht in een cirkel van 360 graden systematisch de sectoren af naar enig teken van de mensen die zomaar overal konden opduiken. Maar het was aannemelijker dat ze op vrijdagavond niet in dit afgelegen en godverlaten gedeelte van de hogergelegen woestijn zouden patrouilleren, niet als ze samen met vrienden of familie van een goede maaltijd konden genieten.

Het weerbericht had een fikse noorderstorm voorspeld, dus wie zou er gek genoeg zijn om op zo'n avond te gaan jagen?
Alleen de echte fanatiekelingen, dacht Mialkovsky glimlachend.
Terwijl in het westen de zon onderging, kreeg hij een groep in het oog die uit een stel losgeslagen motorrijders leek te bestaan – acht smerig uitziende figuren, nauwelijks waarneembaar op het terrein: zes op een motor en twee anderen in een gedeukte en smerige jeep – die tot halverwege de stoffige weg doorreden en een kleine zijweg insloegen, waar ze verderop naast de weg een primitief kamp opzetten. Door het vizier van zijn geweer hield hij ongeveer een halfuur hun bewegingen in de gaten, maar ze waren een aardig eindje bij hem vandaan en leken alleen maar een beetje rond te hangen met hun motoren, armstoelen, sigaren en wat ze verder nog voor zichzelf in petto hadden, dus hij besloot dat ze niet interessant voor hem waren.
Toen de zon ten slotte achter de hoge richel van de Sheep Range verdween, verwijderde hij de daglichtlens van de achterkant van het vizier, dat vijf keer zo duur was als het geweer waarop het bevestigd was, en verving hem door de grotere nachtkijker, die in felgroene schimmen een helder en scherp overzicht over het terrein bood. Toen hervatte hij zijn routineuze en saaie, maar absoluut cruciale taak: de omgeving observeren.
Mialkovsky bedacht dat als de toegewijde federale wildparkwachters, of hun collega's, de in dit gebied opererende undercover special agents, een verrassingspatrouille zouden uitvoeren – in hun voortdurende poging om te verijdelen dat stropers de waardevolle dikhoornschapen die op de hoge richels van de Sheep Range ronddwaalden, zouden doden – dit waarschijnlijk zo'n moment was waarop ze zouden kunnen opduiken. Dus ging hij door met het afzoeken van de omgeving terwijl hoog boven hem een maansikkeltje tevoorschijn kwam dat steeds feller ging schijnen.
Maar in het veldstation van U.S. Fish & Wildlife's Corn Creek – de officiële toegang tot het reservaat, zo'n negen kilometer ten westen van hem – was geen enkel teken van activiteit te bespeuren, en evenmin op de kriskras naar het zuiden kronkelende stof- en

grindpaden die leidden naar die ultieme, fel oplichtende magneet: Las Vegas. De groep motorrijders die verderop naast de zijweg kampeerde, had in een ring stenen een kampvuurtje aangestoken, en bleef – los van een paar willekeurige rondjes op hun motor in de zandgeulen vlakbij – zo te zien voorlopig op dezelfde plek.

Misschien krijgen we hierboven nog een rustig nachtje, helemaal in ons eentje, dacht Mialkovsky, wat in het beste geval hoogstonwaarschijnlijk was. Hij had wel geleerd dat de dingen nooit zo uitpakten als je ze had gepland. Je moest altijd anticiperen op een onverwachte gebeurtenis, en dat vond hij helemaal niet erg.

Als hij eerlijk was genoot hij meer van dat anticiperen dan van de jacht zelf... of zelfs de moord.

De vizieren en sensoren die hij voor deze speciale nacht had meegenomen behoorden tot de nieuwste snufjes, dus het was extra ironisch dat Mialkovsky de naderende SUV pas in de gaten kreeg toen de oren van het muildierhert zich plotseling spitsten in de richting van het nieuwe geluid in de verte.

Pas zes minuten later pikten Mialkovsky's lang niet zo gevoelige oren het geluid van de krachtige Cadillac Escalade-motor op, maar hij had al wel vijf minuten het hobbelende en over de weg zwenkende voertuig in het door de nachtkijker verscherpte vizier. Hij grinnikte terwijl hij zag hoe de chauffeur door geulen en over hobbels hotste, die hij veel beter had kunnen zien als hij zijn koplampen had aangedaan – en die hij had kunnen vermijden.

'Niet zo hard, idioot,' mompelde Mialkovsky geërgerd. Het laatste wat hij vanavond kon gebruiken was een stom ongeluk met onvoorspelbare gevolgen.

Maar de corpulente chauffeur van de Escalade was kennelijk niet van plan zijn agressieve en razendsnelle klim over de smalle zandweg af te remmen, ondanks het feit dat hij volledig afhankelijk was van de naast hem zittende passagier – een breedgeschouderde man die zo te zien door een nachtverrekijker keek en hem over het pikdonkere pad de weg wees. Drie keer raakte de woest denderende fourwheeldrive bijna van de weg, en het scheelde maar een paar centimeter of hij was van de berg getuimeld.

Mialkovsky schudde verbijsterd zijn hoofd.
Sommige mensen moeten door schade en schande wijs worden, zo zitten ze in elkaar, bracht hij zichzelf in herinnering terwijl hij zag dat de donkergetinte Escalade ten slotte in een regen van zand en grind achter een rotsblok onder aan het pad tot stilstand kwam.
Even later klonk er een kakofonie van dichtslaande portieren, gekletter, gevloek en gestommel, met daartussendoor duidelijk hoorbaar sissend 'hou je stil', en liepen de twee mannen het smalle kronkelpad op.
Vanaf zijn hoge, over het plateau en pad uitkijkende positie kon Mialkovsky nagenoeg zonder een beweging te hoeven maken hun vorderingen door het groen glanzende zicht van zijn nachtvizier volgen. Niet dat hij zich er veel zorgen over maakte dat de mannen hem in de gaten zouden krijgen. Met zijn Ghillie-woestijncamouflagepak, waardoor zijn gestalte opging in de schimmige achtergrond, en het woestijncamouflagedoek – dat met takken van de locale flora was afgedekt die zijn uitgestoken geweer en andere uitrustingsstukken verdoezelden – zouden de twee veel te zware en slecht in conditie verkerende mannen over hem moeten struikelen wilden ze hem opmerken, zelfs met hun modern uitgeruste nachtkijker.
En mocht dat gebeuren, dan zouden ze nog een klim moeten maken over een behoorlijk stuk extreem moeilijk terrein.
Mialkovsky dacht niet dat dat erg waarschijnlijk was, gezien hun capriolen tot nu toe, nog afgezien van het feit dat het hart van de grootste van de twee – die zo te zien minstens honderdvijftig kilo op zijn korte, gedrongen skelet torste – het door de inspanning elk moment kon begeven.
Het was dan ook geen verrassing dat, toen de twee mannen eindelijk op de open plek waren aangekomen, ze de makkelijker route omhoog kozen, over de omliggende rotsrichels rechts van hen, in plaats van de veel lastiger linkerkant, die Mialkovsky had genomen.
Intussen hadden ze de oude en behoedzame dikhoornram niet in de gaten, die zich met geoefend gemak rustig bij hen vandaan bewoog. Hij liet instinctief de grote zwerfkeien tussen hemzelf en de

indringers in, die zijn normaal gesproken zo rustige avond kwamen verstoren. In plaats daarvan zochten ze doelbewust een weg langs de uiterste rand van de smalle, rotsachtige open plek. De zware man – de bestuurder van de Escalade – ging voorop, terwijl hij door het nachtvizier van zijn geweer langzaam de omliggende rotsen en zwerfkeien afzocht; de breedgeschouderde man bestreek met zijn nachtkijker een groter gebied.
Zo, ben je werkelijk al die moeite waard, oude vriend, vroeg Mialkovsky zich af terwijl hij zijn vizier even op de zich gestaag terugtrekkende ram richtte, het opvallende litteken van een geschampte kogel duidelijk zichtbaar op de gebarsten linkerhoorn van het dier, voordat hij zijn aandacht naar de twee mannen aan de overkant van de open plek verplaatste.
Het was een makkelijk schot van tweehonderdtwintig meter afstand, maar Mialkovsky was nog niet klaar om te schieten. In dit soort situaties draaide alles om je positie en was geduld cruciaal.
Dus bleef hij systematisch het brandpunt van zijn vizier verplaatsen, de positie van alle mogelijke doelen rondom de open plek afzoekend, tot de oren van het muildierhert zich plotseling nogmaals in de richting van de weg spitsten.
Deze keer hoorde hij het voertuig een paar tellen nadat hij het in zijn vizier kreeg: een oude, onopvallende pick-uptruck met een slecht afgestelde motor zocht voorzichtig zijn weg over de zandweg. Hij had zijn lichten uit op een paar gedempte navigatielichten na, die onder de voorbumper gemonteerd waren, en volgde kennelijk het spoor dat Mialkovsky met zijn strandbuggy had afgelegd.
Jij bent hier eerder geweest, hè, maat?
De gedachte kwam onwillekeurig bij Mialkovsky op – zijn onderbewustzijn werkte al aan alle eventuele haken en ogen – terwijl hij zijn vizier op de voortkruipende truck focuste. Zo te zien zat er alleen een bestuurder in, die een soort helm droeg, en in een boven zijn hoofd bevestigd rek zag hij iets wat leek op een repeteergeweer.
Hoog op de rotsen glimlachte de doorgewinterde jager-doder terwijl hij het vizier van zijn geweer met een zwaai verplaatste om te

zien hoe de andere bezoekers van deze hoge bergrug op de nieuwkomer reageerden.
Zoals hij had verwacht, hadden de twee mannen aan de overkant van de open plek zich op hun knieën laten vallen, achter een paar lage zwerfkeien die tot hun middel kwamen, en ze staarden met hun moderne nachtkijkers naar het pad achter zich. De oude ram was stil blijven staan, keek en luisterde vanaf zijn veel betere schuilplek. En het jonge muildierhert stond als versteend.
Mialkovsky controleerde snel de groep motorrijders in de verte en zo te zien hadden de om het kampvuurtje zittende figuren – Mialkovsky kon er slechts zes zien, maar zag beweging aan de andere kant van de jeep, waar de motoren geparkeerd stonden – geen interesse in oude, in het donker ronddwalende trucks, of hadden ze helemaal niets in de gaten. Waarschijnlijk het laatste, dacht hij.
Even later kwam de pick-up ongeveer vijftig meter verder op het smalle pad dat naar de open plek leidde tot stilstand.
Het geluid van een langzaam, knarsend opengaande deur echode door de koude berglucht, waardoor de twee mannen aan de overkant van de open plek wat dieper achter hun semibeschermende zwerfkeien doken.
Toen stilte... zo nu en dan slechts onderbroken door een enkel paar voetstappen dat zich voorzichtig langs het smalle pad omhoogwerkte, als van een man met goede conditie die de klim al vele malen achter de rug had.
Tijdens de korte momenten dat hij zichtbaar was tussen de keien en bomen die hem aan het zicht onttrokken, kon Mialkovsky de nieuwkomer identificeren als een man met een hispanic uiterlijk, gekleed in donkere skikleding, en op zijn hoofd droeg hij iets wat eruitzag als een helm uit de Vietnamoorlog. Op de helm was voor het rechteroog van de man met tape een buisje bevestigd dat leek op zo'n verouderde, eerste-generatie nachtkijker, van het soort dat vaak in dumpzaken wordt verkocht, en in zijn rechterhand hield hij een lang voorwerp dat voor het grootste deel door zijn lichaam werd verborgen.
Aan de overkant van de open plek waren de twee gehurkte mannen

met de moderne nachtkijkers kennelijk zachtjes met elkaar aan het delibereren, duidelijk geërgerd over deze plotseling opgedoken nieuwkomer.
Mialkovsky glimlachte tevreden.
In al die jaren dat hij op het laatste moment zijn tactische plannen had moeten aanpassen was het voor zover hij het zich kon herinneren nooit voorgekomen dat als er toevallig mensen opdoken, dit voor hem gunstig was gebleken. Maar vanavond vielen de toevalligheden zomaar op hun plek, alsof ze door het lot zelf waren geregisseerd.
Toen de hispanic was aanbeland bij de richel van het pad dat uitkwam op de open plek, sloeg hij plotseling rechts af en klom tussen de rotsen door verder, grofweg in de richting van het smalle, krappe plateau waar het jonge muildierhert zich schuilhield.
Zachtjes in zichzelf neuriënd controleerde Mialkovsky nog een laatste keer de flitsonderdrukker die hij op een vastgetapet frame op een paar centimeter voor zijn geluiddemper had bevestigd, waarbij hij zich ervan verzekerde dat die goed in lijn stond.
Zou het niet interessant zijn als... mijmerde de jager-doder, totdat hij verrast met zijn ogen knipperde. Het muildierhert – opgeschrikt door de nu snelle nadering van de hispanic – stormde uit de duisternis de open plek op, struikelde over zijn achterpoot en bleef toen besluiteloos tussen Mialkovsky en diens doelwit stilstaan.
Verbijsterd dat nou net dat ene bewijsstuk voor zijn neus opdook waar hij op had geaasd vanaf het allereerste begin van zijn planning – maar waarvan hij de kans dat zoiets zou gebeuren als nihil inschatte – had Mialkovsky nog geen seconde om een besluit te nemen.
En dat deed hij zoals altijd: afgaand op zijn instinct en zich scherp bewust van zijn omgeving.
In een reflex bewoog Mialkovsky zich naar voren, boog de flitsonderdrukker opzij en schoot een 7.62x51 hollow point NATO-kogel af, die de kwetsbare hals van het jonge hert verscheurde.
Met het geruststellend kalme gevoel dat hij altijd had wanneer de actie eenmaal in gang was gezet laadde Mialkovsky soepel het ge-

weer een tweede maal, boog zich naar voren om de flitsonderdrukker weer in positie te buigen, richtte en schoot een tweede hollow point-kogel onder in de nek van zijn doelwit, laadde zijn geweer een derde keer en wachtte toen om te kijken wat er zou gebeuren.

De hispanic nieuwkomer en de breedgeschouderde man zagen elkaar precies op het moment dat de dikke man met het jachtgeweer met geluiddemper op de grond neerstortte.

Kennelijk van streek doordat zijn metgezel plotseling neerviel, liet de breedgeschouderde man de om zijn nek hangende verrekijker op zijn borst vallen. Hij knielde neer, trok zijn rechterhandschoen uit, hield snel zijn blote hand tegen de hals van de gestrekt liggende man en deinsde toen in afgrijzen terug.

Drie seconden later sprong de breedgeschouderde man overeind en begon naar het smalle pad op de richel terug te rennen, terwijl hij zijn handschoen weer aantrok en naar iets in zijn jasje zocht.

Een paar ogenblikken later werd de stille nachtlucht verscheurd door een pneumatische uitbarsting van 9mm kogels toen de aanstormende breedgeschouderde man met een Uzi-mitrailleur grofweg in de richting van de hispanic schoot, die zich al als een gek uit de voeten maakte.

Terwijl Mialkovsky van zijn positie aan zijn kant van de open plek toekeek, bleef de breedgeschouderde man naast een grote zwerfkei staan, vuurde blindelings nog een tweede Uzi-salvo af, en zo te horen was de patroonhouder nu leeg. De man gooide de lege houder weg, trok een andere uit zijn jasje, herlaadde razendsnel en zette het wapen op scherp. Met zijn nachtverrekijker, die nog altijd om zijn nek hing, keek hij snel het gebied over; vervolgens werkte hij zich omlaag naar de plek waar de hispanic plotseling over het pad was verdwenen.

Verrast, ernstig in de war en woedend. Mialkovsky liep in een reflex de details in zijn hoofd na terwijl hij het drama dat hij met zijn tweede schot had veroorzaakt bleef volgen.

De 9mm kogels ricocheerden nog tegen de rotsen en zwerfkeien hoog boven hem, toen de wanhopig vluchtende man zich op het smalle pad verstapte en minstens zeven meter naar beneden tuimel-

de. Zijn gehelmde hoofd sloeg tegen een grote rots die zijn val brak, maar waardoor hij versuft raakte en zelfs nog banger werd.
Toen zijn met een Uzi gewapende achtervolger helemaal boven aan het pad begon te schreeuwen en te schelden, viel hij opnieuw, stootte zijn rechteronderarm en – nogmaals – zijn gehelmde hoofd tegen een ander rotsblok. Door deze tweede val rolde de hispanic weer van het pad af en eindigde ten slotte languit op de grond, kennelijk bewusteloos.
Mialkovsky was al begonnen om dit onverwachte sterfgeval in zijn plannen te verwerken, toen de man tot zijn verbazing weer bijkwam, overeind krabbelde en het pad af strompelde... ongetwijfeld aangezet door de razende, scheldende en hijgende geluiden van zijn achtervolger, die met de Uzi in de ene hand en de verrekijker losjes in de andere zich een weg over het pad probeerde te banen.
Tegen de tijd dat de gewonde nieuwkomer onder aan het pad was gekomen, was de breedgeschouderde man halverwege, en hij kwam snel naderbij tot hij met zijn rechterlaars op een rots uitgleed. Uit het uitzinnige gevloek, brekend glas en ratelend metaal maakte Mialkovsky op dat het voordeel dat de woeste achtervolger met zijn nachtzicht en vuurkracht had gehad nu was verdwenen.
En sterker nog, toen de breedgeschouderde man eindelijk onder aan het pad kwam, met lege handen en zichtbaar trillend van woede en uitputting, had de vluchtende hispanic zijn truck al weten te bereiken, het portier opengewerkt, was achter het stuur gaan zitten en had de motor gestart. Hij reed nu in de brullende oude pick-up met gedoofde lichten het zandpad af, en het stof en zand spatten alle kanten op.
In de ban van de klucht die zich in het vizier van zijn nachtkijker afspeelde, zag Mialkovsky hoe de woedende breedgeschouderde man bijna een minuut lang in het donker rondstrompelde voor hij ten slotte zijn donkergetinte Escalade vond.
Even later kwam de motor van de Escalade brullend tot leven, en de koplampen flitsten aan toen de uitzinnige bestuurder het zware voertuig slippend en zwenkend keerde om vervolgens met hoge snelheid koers te zetten naar de zandweg.

Anticiperend op het verblindende licht van de koplampen, dat schadelijk was voor zijn viziersensoren, had Mialkovsky zijn ogen al weer gericht op de vluchtende pick-uptruck, die nu halverwege de kronkelige zandweg was. En hij zag nog net hoe de pick-up plotseling naar een grote zwerfkei links van de weg zwenkte.
Vlak voordat hij ertegenaan zou botsen, flitsten de koplampen aan en maakte de truck een scherpe bocht naar links, zand en stof de lucht in sproeiend... miste de kei en reed ongeveer zeventien meter verder de zijweg op... versnelde toen plotseling en reed recht op de geïmproviseerde kampeerplek van de motorrijders af. Daar waren de zes gedaanten uit hun stoel gekomen en door elkaar heen aan het lopen, waarschijnlijk gealarmeerd door de echogeluiden van de Uzi-schoten en de gierende truckmotor.
Mialkovsky knipperde verbaasd met zijn ogen toen op dat moment in het kamp in de verte een woest vuurgevecht losbarstte; uit de handen van alle zes figuren schoten felle lichtflitsen in de richting van de accelererende pick-up.
Mialkovsky begon in een reflex en beroepsmatig de afzonderlijke schoten te tellen; één schot klonk boven de andere uit. Maar bij twaalf gaf hij het op toen de echoënde dreunen tot één oorverdovende brij samensmolten. Hij keek toe hoe de pick-uptruck, nog altijd zichtbaar in het brandpunt van de rondschietende vuurballen, langzaam tot stilstand kwam; de koplampen waren gedoofd en de motor viel stil.
'Wat een... zootje klootzakken,' fluisterde Mialkovsky, vol ongeloof dat zijn zorgvuldig uitgedachte en prachtig aangepaste plan plotseling in duigen was gevallen dankzij een stelletje haveloze motorrijders die zich stoorden aan een verdwaalde pick-uptruck die plotseling op hun kampeerplek af kwam rijden.
De jager-doder overwoog razendsnel zijn opties.
Toen Mialkovsky die klotemotorrijders één voor één in het dradenkruis van zijn nachtvizier kreeg, kreeg hij de aandrang om hun actie stante pede met geweld af te straffen. Maar hij wist dat de gevolgen aanzienlijk zouden zijn en het gedonder na afloop ingewikkeld en tijdrovend, en dat kon hij zich niet veroorloven. Tijd

werd ineens een kritisch aspect in zijn berekeningen, merkte hij. Uit het plotselinge gebrul van de zich snel terugtrekkende Escalade maakte de jager-doder op dat ook de breedgeschouderde man het vuursalvo op de vluchtende truck had gezien. Duidelijk niet langer op wraak uit reed hij in volle vaart met de machtige terreinwagen langs het grote rotsblok bij de zijwegafslag, waarbij hij een opspattende stofwolk met zand achter zich liet, die ongetwijfeld een achtervolger zou hebben verblind, als die er was geweest.

Maar voor zover Mialkovsky het kon overzien, vertoonde geen van de figuren in de verte ook maar de kleinste neiging om achter de vluchtende Escalade aan te gaan.

In plaats daarvan realiseerde de jager-doder zich plotseling dat twee van hen een draagbare radio uit hun jack haalden, terwijl de andere vier de truck benaderden op een manier waaruit heel wat meer training en ervaring in commandotactieken sprak dan je van een doorsnee klotemotorrijder zou verwachten.

'O, shit,' mompelde Mialkovsky terwijl hij een mobieltje uit zijn jaszak haalde met daarop bevestigd een klein reepje afplakband, waar '#1' op stond, en hij toetste een nummer in.

'Dat werd tijd. Hoe ging het?' vroeg de norse stem aan de andere kant van de lijn.

'Het eerste deel ging zoals gepland,' antwoordde Mialkovsky bedaard, 'maar er deed zich een onverwachte complicatie voor.'

'Wat voor complicatie?'

Mialkovsky staarde over het donkere landschap, en plotseling verscheen aan de rand van de Las Vegas-lichtgloed het eerste rood-met-blauwe zwaailicht... toen een tweede... en een derde... allemaal op weg naar het noorden, in de richting van het Desert National Wildlife Park.

Mialkovsky knikte peinzend. De situatie zag er misschien toch niet zo slecht uit als eerst had geleken. Uiteraard afhankelijk van wie ter plekke zou arriveren en wat ze zouden aantreffen – met de nadruk op 'wie' en 'wat'.

Maar plotseling kwam het bij Mialkovsky op dat er wellicht precies dát zou gaan gebeuren wat hij absoluut had willen vermijden toen

hij tegen wil en dank deze klus had aangenomen, want op dit moment was hij het overzicht op de situatie helemaal kwijt.
Elke keer weer wordt een goed plan getorpedeerd door willekeurige mensen die zomaar wat doen, dacht de jager-doder, en de lang geleden uit zijn hoofd geleerde woorden van een anonieme oefensergeant echoden door zijn hoofd, terwijl hij in het licht van de nieuwe mogelijkheid zijn opties ernstig heroverwoog.
'Ik vroeg wat voor complicatie,' zei de stem aan de andere kant.
Plotseling bliksemde het in de verte, acht tellen later gevolgd door een rommelend gedonder, een natuurverschijnsel waar Mialkovsky even stil van werd en toen om moest glimlachen.
'Hopelijk een kleintje,' antwoordde hij kalm, ook al werkten zijn hersens op volle toeren. 'Ik bel alleen maar om me te melden. Aan het oorspronkelijke plan verandert niets. Maar bereid je erop voor dat de politie wellicht vanavond contact met je opneemt.'
'De polítie? Hier, vanavond?' Degene aan de andere kant van de lijn klonk geschrokken, alsof dat zelfs niet bij hem was opgekomen.
Je bent echt een ongelooflijke lulhannes, dacht Mialkovsky terwijl hij zag hoe een van de vier figuren in de verte voorzichtig de bestuurdersdeur van de truck opende.
Het verbaasde hem altijd dat ogenschijnlijk succesvolle mannen, die dagelijks met geweld te maken hadden, zo stom konden zijn als het op vooruitdenken aankwam. Maar, bracht hij zichzelf in herinnering, daarom betalen ze mensen als ik, om de ingewikkelde zaken op te lossen.
'De kans dat ze het lichaam zullen ontdekken en een verband zullen leggen is te verwaarlozen, maar je moet je er wel op voorbereiden, voor het geval dat.'
'Maar ik dacht dat je had gezegd...?'
'Dat soort dingen gebeurt nu eenmaal. Jij betaalt mij om het op te lossen,' snauwde Mialkovsky met een gevaarlijke scherpte in zijn stem. 'Ik blijf hier nog een poosje om de situatie in de gaten te houden. Als ik heb opgehangen, vernietig je telefoon nummer één. Sla de chip stuk met een hamer en gooi hem dan bij de vuilnis, zoals we hebben besproken. Als je de komende twaalf uur contact met

me wil, doe dat dan met telefoon nummer twee. Onthoud dat je in dit project maar vier beveiligde telefoons tot je beschikking hebt, dus wees er zuinig mee.'
'Maar...'
'Ik neem weer contact met je op als ik iets bruikbaars te weten ben gekomen. Maar nu heb ik het een en ander te doen,' zei Mialkovsky op effen toon, en hij verbrak de verbinding.
Snel demonteerde de jager-doder de mobiele telefoon, trok het afplakband eraf en verkreukelde dat tot een prop, sloeg met een steen de chip en de onderdelen stuk, verwijderde de flitsonderdrukker van het uiteinde van zijn geluiddemper en begroef die – samen met de kapotte telefoonstukken – onder een groot rotsblok, zo'n drie meter bij zijn uitkijkpost vandaan. Hij zocht de twee lege kogelhulzen op en stopte die in een jaszak, zette een nachtkijker op, schakelde hem in en liep toen over het smalle plateau naar een plek die binnen een paar minuten zorgvuldig opnieuw moest worden ingericht.
De zich in het noordelijk gebergte ontwikkelende storm kon van pas komen, als die tenminste deze kant uit kwam. Maar dat was weer zo'n toevallige gebeurtenis die hij eenvoudigweg maar over zich heen moest laten komen.
Van één ding was Viktor Mialkovsky inmiddels absoluut zeker: de tijd begon te dringen.

2

Gil Grissom en Catherine Willows hadden de hele vijfendertig kilometer van het forensisch lab naar de State Highway 95-afslag richting het Desert National Wildlife Park in een prettige stilte afgelegd, ze leken wel een lang getrouwd stel. Grissoms gedachten waren afgedwaald naar het recente artikel in de *Science* over inheemse kevers, waar hij het helemaal niet mee eens was, maar hij wist niet zeker of hij...

'Ik had eigenlijk een vrije avond, weet je,' zei Catherine, de gedachtestroom van haar chef onderbrekend toen ze de zwarte GMC Denali bij de ingang van het Corn Creek veldstation stilzette.

'Wat?' Grissom knipperde met zijn ogen en keek haar toen vragend aan.

'Je hebt geen woord gehoord van wat ik tegen je heb gezegd,' zei de slanke, rossige technisch rechercheur terwijl ze haar zijraampje liet zakken en wachtte op de geüniformeerde U.S. Fish & Wildlife parkwachter die bij de ingang op het punt stond naar hun auto te lopen. Grissom keek haar even peinzend aan.

'Nou... o, sorry. Als dit allemaal achter de rug is...'

'Ja, ja, ik weet het. De zoveelste compensatiedag die ik op de stapel kan leggen.'

Er klonk wrevel in haar stem door, maar Grissom negeerde die en glimlachte toen hij over die beeldspraak nadacht.

'Deze keer echt, dat beloof ik je. Als deze toestand is opgelost, neem je een paar dagen vrij. Heus,' zei hij met twinkelende pretogen. 'En bovendien, Brass dramde behoorlijk door.'

'Dat is nou precies wat me zo dwarszit,' gaf Catherine toe. 'Je weet hoe hij is. Hij vertelt ons anders nooit hoe we ons werk moeten doen. Dus waarom...'

'Goedenavond, ma'am, bent u van het forensisch lab van de politie van Las Vegas?' vroeg de geüniformeerde parkwachter terwijl hij

een hoofdgebaar maakte naar de twee andere, bijna identieke zwarte GMC Denali's die achter Grissom en Willows waren gestopt. Het lange blonde haar van de vrouw, haar piepjonge gelaatstrekken en zware zuidelijke accent leken volkomen uit de toon te vallen bij het pistool in haar heupholster, de glimmende badge op haar pas gesteven uniformjasje, de zaklantaarn in haar gehandschoende hand, en de omliggende Nevadawoestijn.
'Inderdaad,' zei Catherine knikkend. Ze liet haar legitimatiebewijs zien, en schermde geïrriteerd haar ogen af, zodat die niet opnieuw aan het donker moesten wennen, toen de jonge parkwachter de lichtstraal van haar zaklamp op haar ID-card richtte en vervolgens op die van Grissom. 'Ik ben rechercheur Catherine Willows en dit is CSI-chef Gil Grissom. De teamleden in de andere voertuigen zijn Warrick Brown, Nick Stokes, Sara Sidle en Greg Sanders.'
'Ik ben Shanna Lakewell, en als het gaat om de identiteit van de andere inspecteurs, geloof ik u op uw woord,' antwoordde de jonge agent terwijl ze haar rechterhandschoen uittrok en Catherine kort de hand schudde. 'Connor heeft me gevraagd u hier op te wachten en naar de plaats delict te brengen,' voegde ze eraan toe terwijl ze de handschoen weer aantrok en de zaklamp uitdeed. 'Hij is vast dolblij dat jullie er vanavond zijn.'
'O, waarom?' vroeg Grissom. Zijn nieuwsgierigheid was geprikkeld door de plotselinge scherpte in de stem van de jonge agente.
'Toen ik daar een paar minuten geleden wegging, was de situatie behoorlijk gespannen,' zei Lakewell slecht op haar gemak, 'en ik betwijfel of dat nu veel anders is.'
'Bedoel je dat er een gespannen sfeer was tussen de rechercheurs ter plaatse?' vroeg Grissom door.
'Nou, ik weet niet precies wat u met "rechercheurs" bedoelt,' antwoordde Lakewell aarzelend. 'De agenten die bij de schietpartij betrokken waren zijn behoorlijk van de kaart; maar dat komt omdat ze naar een partij drugs willen zoeken. Zij denken dat een of andere bobo-drugsdealer het spul ergens op het terrein uit zijn truck heeft laten vallen, en van uw hoofdinspecteur Brass mogen ze de plaats delict niet verlaten.'

In een flits moest Grissom weer denken aan zijn telefoongesprek met Brass. Terwijl ze hun CSI-uitrusting in de Denali's aan het inladen waren, had Grissom al aan Catherine en de andere leden van de nachtploeg verteld dat Brass uitzonderlijk kort van stof was geweest in zijn beschrijving van de plaats delict.
'In het Desert National Wildlife Park is iets misgegaan bij een pseudodrugsdeal en ik wil dat de hele nachtploeg er zo snel mogelijk heen gaat. Neem al je reconstructieapparatuur mee om de plek van het schietincident te onderzoeken. Ja, je hebt me goed gehoord, Gil, het hele team... zo snel als je kunt.'
En dat was het enige wat hij tegen Grissom had gezegd voor hij had opgehangen. Alle informatie die Lakewell nu te melden had was nieuw voor de beide senior technisch rechercheurs.
'Een paar van onze Metro-agenten zijn tijdens een federale operatie bij een schietpartij betrokken geraakt en commandant Brass wil ze niet laten gaan?' Vanaf zijn passagiersplaats bleef Grissom bij Lakewell aandringen, vastbesloten zo veel mogelijk te weten te komen van wat zij wist. Hij kreeg het onbehaaglijke gevoel dat als hij eenmaal op de berg zat, hij niet meer zo makkelijk aan betrouwbare informatie zou komen.
'Nou, sir, zo zit het niet helemaal,' zei Lakewell terwijl ze nerveus op haar lip kauwde. 'Eigenlijk denk ik dat er geen Metro-agenten bij betrokken waren, alleen Connor – de hoofdparkwachter die ter plaatse was – een paar staatsagenten van de narcoticabrigade en twee special agents van de DEA.'
'DEA-agenten?' Catherine draaide zich om en staarde Grissom aan. 'Houdt Brass federale en staatsagenten op federaal gebied vast en hij laat ze niet gaan?'
'Geen van allen, hun verklikker ook niet, zij was absoluut bij de hele puinhoop betrokken,' voegde Lakewell eraan toe.
'Bedoel je dat bij deze schietpartij een informant betrokken was?' bracht Grissom bedaard in het midden. 'Wat waarschijnlijk betekent dat er een gewápende informant bij een federale pseudokoop aanwezig mocht zijn?'
'Volgens mij is dat precies wat er gebeurd is, maar ik heb al mijn

informatie uit de tweede hand... van Connor.' Lakewell knikte nerveus met haar hoofd.
'Is Connor je chef?'
'Ja.'
'En was hij ook bij de schietpartij betrokken?'
'Inderdaad.' De jonge parkwachter knikte opnieuw. 'Luister, dit gaat me waarschijnlijk helemaal niet aan, maar als het aan mij lag, zou ik nog niet toestaan dat die vrouw tijdens zo'n actie een scherpe pen bij zich had, laat staan een Glock... En er was minstens één ander pistool dat ik niet kon thuisbrengen. Maar ik geloof eigenlijk niet dat het daar in dit geval om gaat. Sterker nog, ik denk dat de hele situatie een stuk gecompliceerder ligt.'
'Je hebt vast gelijk,' zei Grissom. 'En hoe ver zitten we nu ruwweg van die gecompliceerde situatie?'
'Naar de Pine Nut Road is het ongeveer vijftien kilometer, voor het merendeel zandwegen; overdag al een behoorlijke klim, maar 's nachts een heel stuk spannender. Bovendien kan er waarschijnlijk elk moment een dikke storm losbarsten,' voegde Lakewell eraan toe terwijl ze naar de lucht keek, 'dus u wilt vast wel de hele weg in uw fourwheeldrive achter me aan blijven rijden.'
Terwijl agent Lakewell terugliep naar haar groen-met-witte diensttruck, die een paar meter verderop geparkeerd stond, haalde Grissom een mobieltje uit zijn vestzak en toetste een multinummer in. 'Nick, Sara, schakel over op fourwheeldrive, zorg dat iedereen zijn veiligheidsriemen en wapens nog een keer controleert en rij dan achter ons aan, blijf aan onze' – Grissom keek naar Catherine, die haar wenkbrauwen had opgetrokken met een anticiperende 'waag het eens'-blik – 'bumper kleven.' Toen Catherine met haar ogen rolde, voegde hij eraan toe: 'Ik heb zo'n gevoel dat het wel eens interessant kon gaan worden.'

Toen de karavaan van vier wagens een paar minuten later bij de afslag kwam, leek de plaats delict wel op een scène uit een film van Quentin Tarantino.
De beschoten truck – met vier platte banden weggezakt in het zand

en verlicht door de koplampen van twee politiewagens uit Las Vegas – was het visuele brandpunt, je kon er onmogelijk omheen. De voorruit was aan de bestuurderskant aan gruzelementen. Sommige gebarsten, gerafelde, verpulverde en bebloede stukken kogelvrij glas – nog bijeengehouden door de gedeeltelijk gescheurde en uitgerekte flarden van de binnenste plastic laag – hingen los aan het raamframe, terwijl de motorkap van de truck bezaaid lag met splinters. De koplampen, beide zijramen en de achterkant van de cabine aan bestuurderszijde waren het doelwit geweest van tientallen projectielen. De door de zon verschoten en roestige voorkant en zijkanten, die waarschijnlijk zo'n twintig jaar geleden rood waren gespoten, waren doorzeefd met tientallen kogels en hagelschoten. De grond lag bezaaid met vierkante stukken kogelvrij glas en grillige verfschilfers.

Al met al leek het alsof de oude brik doelwit was geweest van een frontale aanval door een uitermate vastberaden commandoteam.

Tussen de truck en de kampeerplek, en een eind uit de buurt van de tijdelijke afzetting die met geel afzetlint om de truck was aangebracht, stonden twee patrouillewagens van de politie van Las Vegas precies zo geparkeerd dat hun koplampen beide kanten van de truck verlichtten, onder een hoek van vijfenveertig graden ten opzichte van het midden.

Vier hangende propaanlampen verlichtten de kampeerplek, zo'n twaalf meter vóór de truck, en onthulden zes zittende gedaanten – allemaal gekleed in vettige spijkerbroek en een smerig en gescheurd winterjack – die sprekend op een stel chagrijnige Hell's Angels leken. Een agent in uniform stond naast het in de ring stenen brandende kampvuur, zijn in handschoen gestoken hand rustte losjes op zijn zware riemgesp. Eenzelfde agent stond aan de overkant van de kampeerplek, en een derde patrouillewagen met nog twee op wacht staande uniformen was iets verderop op de weg geparkeerd en een agent had een middenpositie ingenomen tussen de twee bijlichtende patrouillewagens en het afzetlint, waar hij iedereen terloops in de gaten kon houden… en, zo te zien, een mismoedige vrouwenfiguur in het bijzonder.

Het geheel leek op een reusachtige driedimensionale puzzel die wanhopig zat te wachten tot een geduldig en nieuwsgierig stel hersens zich erover zou buigen.
Of beter nog, zes stel geduldige en nieuwsgierige hersens, dacht Grissom terwijl een verwachtingsvol glimlachje zich over zijn gezicht verspreidde en hij met langzaam heen en weer gaande ogen de relevante details in zich begon op te nemen.
Het viel hem onmiddellijk op dat geen van de zes zittende figuren bepaald blij was met de komst van de technische recherche.
Achter de kampeerplek, ongeveer vijftig meter verderop, stonden een paar helikopters – de een donker, legerachtig en alleen gemarkeerd met een staartnummer, en de ander duidelijk herkenbaar als een reddingshelikopter van de politie van Las Vegas – met roerloze rotorbladen tegenover elkaar, als een paar dreigende kemphanen die hun krachten spaarden voor de volgende ronde. De twee in overall geklede bemanningsleden stonden naast de politiehelikopter, kennelijk in een geanimeerd gesprek onder het genot van een kop koffie.
Maar terwijl de zes technisch rechercheurs uit hun auto's stapten, allemaal met dezelfde dikke zwartnylon jacks over hun kogelvrije vesten, richtten Grissom en Catherine hun aandacht op hoofdinspecteur moordzaken Jim Brass – een gepokt en gemazeld politie-inspecteur op wie de CSI-nachtploeg vertrouwde als het erom ging hen uit de problemen te houden.
Brass was gekleed in standaard winterse veldkleding – glimmende laarzen, gesteven broek en warm ski-jack – en stond naast een paar mannen van een jaar of vijftig, die beiden een duur kostuum, stropdas en overjas droegen, wat bepaald uit de toon viel bij hun afgetrapte woestijnlaarzen. Zo te zien was het gesprek tussen die drie allesbehalve aangenaam.
Terwijl Grissom en Catherine op Brass en de twee duidelijk boze mannen toe liepen, stonden Warrick Brown en Nick Stokes naast elkaar het hele tafereel met over elkaar geslagen armen gade te slaan, en namen Sara Sidle en Greg Sanders de minder confronterende taak op zich om de CSI-auto's uit te laden.

‘Dit zijn Gil Grissom en Catherine Willows, de chef en assistent-chef van de CSI-nachtploeg, over wie ik u heb verteld,’ zei Brass tegen de twee overjassen. ‘De andere vier rechercheurs, daar bij de auto’s, zijn Brown, Stokes, Sidle en Sanders. Gil, Catherine...’ Brass knikte met zijn hoofd naar zijn kennelijke tegenstanders... ‘dit is dienstdoend assistant special agent William Fairfax, van de divisie Los Angeles van de DEA, en inspecteur John Holland, van het Nevada Departement voor Openbare Veiligheid.’
De twee inspecteurs knikten naar Grissom en Willows, maar geen van beiden stak een hand uit om hen te begroeten.
‘Wat we hier bij de horens hebben,’ vervolgde Brass op bewust beheerste toon, ‘is een verdacht schietincident, en ik wil dat jullie met je team de plaats delict reconstrueren.’
Zowel Fairfax als Holland wilde hem onderbreken, maar de DEA-assistent – een reusachtige vent met een zorgvuldig getrimde, grijsgevlekte baard – was een halve seconde sneller.
‘Ik protesteer tegen het woord “verdacht”, en dat wil ik glashelder genoteerd hebben,’ zei Fairfax op effen toon. Zijn donkere ogen schoten vuur. ‘Drie federale en twee staatsagenten waren betrokken bij een schietpartij met een grote drugsdealer, van wie bekend is dat hij automatische wapens bezit, een lange geweldsgeschiedenis met de politie heeft en verzet heeft gepleegd bij arrestatie. Hij reed agressief op hun kampeerplek af en stopte niet voor de afgesproken ontmoeting bij de afslag, en nam hun positie onmiddellijk onder vuur. Ons team reageerde adequaat en volgens het boekje. Er is geen sprake van dat deze schietpartij voldoet aan de “verdachte” normen zoals die in de trilaterale overeenkomst zijn vastgelegd.’
‘En ik sluit me hier volledig bij aan,’ voegde Holland er ondersteunend aan toe. ‘Dit is geen verdacht schietincident en de gewone politie patrouilleert niet op federaal terrein. Dus wat mij betreft hebt u geen jurisdictie over onze agenten.’
‘Wilt u nog een keer met uw meerdere praten?’ informeerde Brass terwijl hij zijn mobieltje naar voren stak. ‘Of u met uw chef?’ voegde hij eraan toe terwijl hij zich naar de DEA-supervisor omdraaide.

De mannen keken elkaar even aan, maar geen van beiden antwoordde.

'Volgens de regels van de trilaterale wederzijdse overeenkomst aangaande het verlenen van assistentie,' legde Brass aan Grissom en Catherine uit, 'is een schietincident verdacht wanneer een of meer hoofdelementen van het onderliggende onderzoek niet op de plaats delict aanwezig is. Deze undercoveragenten raakten verzeild in een schietincident en belden zoals het hoorde naar het hoofdkantoor voor back-up. Toen onze patrouilleagenten arriveerden, verklaarden de undercovers dat ze hier waren om tien kilo kwaliteitscocaïne van een drugsdealer te kopen, die erom bekendstond dat hij gewapend en gewelddadig was, Ricardo Paz Lamos geheten. Voor zover ik het kan overzien, heeft niemand het lichaam in die truck geïdentificeerd als Ricardo Paz Lamos, en niemand heeft hier ook maar een kilo van wat dan ook aangetroffen.'

'Hoe moeten we die klootzak identificeren als zijn gezicht onherkenbaar is en we zijn vingerafdrukken niet hebben?' wierp Holland tegen. 'Verdomme, die vent heeft ons vijf jaar lang weten te ontlopen – we hebben geen adres en kennelijk vertoont hij zich nergens in het openbaar. We mogen van geluk spreken dat we een foto van deze auto hebben.' Met zijn in handschoen gestoken hand stak hij een beduimelde en korrelige zwart-witfoto omhoog.

'En bij dealers die een grote slag slaan is het standaardprocedure dat ze het grootste deel van hun handel een eind uit de buurt van de transactieplek verbergen, tot ze het geld hebben nageteld en de juiste spelers ter plaatse zijn,' zei Fairfax opgewonden. 'Je weet hoe het werkt, Brass. Zo lang ben je nou ook weer niet van de straat.'

'Jullie hoeven me heus niet te vertellen hoe een pseudokoop in zijn werk hoort te gaan,' kaatste de politiehoofdinspecteur uit Las Vegas terug. 'Maar het lijkt me toch van doorslaggevend belang dat bij zo'n deal de illegale drugs ter plekke aanwezig zijn, of niet soms?'

'Als je dat maar weet. En dat is precies wat onze onderzoekers nu zouden moeten doen, zoeken naar aanwijzingen,' Fairfax gebaarde met een hand naar de omliggende duisternis, 'in plaats van hier op

hun collectieve reet te zitten terwijl jij en je CSI-team elke beweging die ze maken in de gaten houden.'
'Wat ik ook heb begrepen,' vervolgde Brass onverbiddelijk, 'is dat we te maken hebben met een dode man in een truck die misschien wel of niet een drugsdealer is, en die misschien wel of niet iets heeft gedaan wat een spervuur van zo'n zestig schoten rechtvaardigt, wat misschien wel of niet "zelfverdediging" is geweest.'
Fairfax wilde wat zeggen, maar Brass stak een hand op om hem het zwijgen op te leggen.
'Ik tel drie ontbrekende hoofdelementen in je onderliggende onderzoek, agent Fairfax. En volgens de overeenkomst, die onze sheriff en jullie bureaudirecteuren allemaal hebben ondertekend en die nu in Clark County als standaardprocedure geldt voor schietincidenten waar agenten bij betrokken zijn,' stelde Brass op scherpe toon vast, 'moet de hoofdagent ter plaatse met het minste aantal bij het schietincident betrokken ondergeschikten de situatie ter hand nemen, tot een hoofdagent zónder betrokken ondergeschikte agenten kan ingrijpen en het bevel kan overnemen. Op dat moment voert de bevelvoerder ter plekke onmiddellijk een schietreconstructie uit om de feiten van het incident te verifiëren. Ik vergis me toch niet, hè?'
Fairfax wilde kennelijk iets te berde brengen, maar hield zijn mond.
'Aangezien bij dit schietincident volgens mij geen politieagenten betrokken zijn, heb ik hier de leiding totdat ik door een hoger gezag van mijn taak word ontheven. En dat is hoogstwaarschijnlijk mijn baas, omdat jullie mensen uitdrukkelijk door beide chefs onder mijn bevel zijn geplaatst, ongeveer, o...' Brass keek op zijn horloge, '... een kwartiertje geleden.'
'Daar val ik anders niet onder,' antwoordde Fairfax bitter.
'Nee, dat niet,' stemde Brass in, 'en dat geldt ook voor jou,' zei Brass tegen Holland. 'Wat betekent dat het jullie vrijstaat om wanneer je maar wilt te vertrekken, maar jullie mogen ook blijven, zolang je mijn onderzoek maar niet in de wielen rijdt.'
'Ik blijf,' merkte Fairfax op.
'Ik ook,' voegde Holland eraan toe.

'Prima, als je me maar niet voor de voeten loopt. Ik denk dat jullie zo al genoeg problemen hebben.'
'Ik ben blij dat je aan onze kant staat,' mompelde Catherine tegen Brass. Ze schonk hem een droog glimlachje.
'Je zou me eens moeten zien zónder koffie,' antwoordde Brass. Hij wendde zich tot Grissom. 'Ben je zover?'
'Zeker weten,' zei Grissom, terwijl hij en Catherine naar de zes vunzige en onverzorgde figuren liepen die nog steeds rondom het zieltogende kampvuur zaten, gevolgd door de andere vier technisch rechercheurs, en Brass, Fairfax en Holland.
'Oké,' begon Grissom, en hij blikte op de chagrijnig kijkende mannen neer, 'we zullen ons eerst even voorstellen. Ik ben Gil Grissom van het forensisch lab. Dit is mijn assistent-supervisor, Catherine Willows, en dit zijn Warrick Brown, Nick Stokes, Sara Sidle en Greg Sanders. Zij gaan me assisteren bij de reconstructie van deze schietlocatie. En wie zijn jullie en voor wie werken jullie, te beginnen met jou?' Hij knikte naar een betrekkelijk verzorgde gedaante helemaal linksachter in de kring stoelen, terwijl Sara Sidle aantekeningen begon te maken.
'Connor Grayson. Ik ben hier de hoofdparkwachter in het Desert National Park. U heeft in deze zaak mijn volledige medewerking.'
'Dank je wel, Connor,' antwoordde Grissom, terwijl hij naar de volgende figuur knikte.
'Jeremy Mace, rechercheur, narcoticabrigade van het Nevada Departement voor Openbare Veiligheid. Ik zie de noodzaak van dit onderzoek niet in, en met de timing ben ik het al helemaal niet eens, maar ik zal meewerken.'
'John Boyington, rechercheur, Nevada-DOV. Ik ben Jeremy's partner en sluit me bij zijn woorden aan.'
'Russell Jackon, special agent DEA. Wat mij betreft is dit hele gedoe bullshit. Meer heb ik niet te zeggen.'
'Chris Tallfeather, special agent DEA, dito.'
Grissom wendde zich tot de laatste persoon: een vrouw met bleke wangen die net zo goed in de twintig als in de dertig kon zijn. Ze had acnelittekens in haar gezicht en haar geblondeerde haar was in

een paardenstaart weggebonden. Rechts op haar gezicht zaten een paar grote stukken bloederig verbandgaas die haar wang en oor bedekten, ze zat ineengedoken in haar kampeerstoel en had de hele tijd naar de grond gestaard. 'En jij bent?' vroeg hij.
'Jane.' Ze zei het tegen het zand tussen haar laarzen.
'Heb je ook een achternaam, Jane?'
'Smith.'
Grissom hield zijn hoofd nieuwsgierig schuin, wilde iets zeggen maar haalde toen zijn schouders op.
'Wat is er met je gezicht gebeurd, Jane?'
'Ik ben geraakt,' mompelde de jonge vrouw.
'Ben je hier vanavond, op deze plek, gewond geraakt?'
'Ja.'
'Wie heeft er op je geschoten?'
'Hij.' Ze maakte een hoofdgebaar in de richting van de verlichte truck.
'Zeg je dat de overleden persoon in die truck, waarschijnlijk een man genaamd Ricardo Paz Lamos, op je heeft geschoten?'
'Ja, zeker weten,' mompelde de vrouw. Ze wendde haar hoofd van de technisch rechercheur af.
De vijf mannen keken elkaar aan, haalden hun schouders op en schudden het hoofd.
'Heeft níémand gezien dat ze werd beschoten?' vroeg Grissom met een vleug ongeloof in zijn stem.
'Ik hoorde haar "O shit, daar heb je 'm!" roepen, zodra de truck hier opdook,' zei Grayson ten slotte, 'en toen hoorde ik dat ze het uitschreeuwde van de pijn, vlak nadat ik op de banden begon te schieten. Tenminste, het klonk alsof Jane aan het schreeuwen was, maar ik weet het niet zeker, omdat ik verderop achter dat grote rotsblok stond te plassen.' Hij wees naar een grote, grillige zwerfkei van een kleine twee meter hoog en ruim drie meter breed. 'Nu ik erover nadenk, heb ik haar eigenlijk tijdens het schieten niet gezien… niet nadat we allemaal vanachter de barricades tevoorschijn kwamen en naar de truck liepen.'
'En niemand anders heeft Jane gehoord of gezien toen er op haar werd geschoten?' drong Grissom aan.

'Ik heb absoluut gehoord dat ze schreeuwde dat Paz Lamos eraan kwam, en toen hoorde ik haar gillen, vlak nadat het schieten begon. En ik geloof dat ik haar vanuit mijn ooghoek achterover heb zien vallen… alleen het puntje van haar hoofd, en dan nog slechts een fractie van een seconde,' bracht rechercheur Boyington naar voren. 'Ze was achter die grote rots daar gekropen, ook om te plassen, vlak nadat Connor op weg was naar de zijkant van die zware jongen daar.' Hij wees naar een grotere zwerfkei links van hem, vlak voor het rechter zijspatbord van de door de patrouillewagen verlichte truck, zo'n anderhalve tot twee meter hoog en minstens vijf meter breed.
'Klopt dat, Jane? Was je bij die rots toen het schieten begon?' vroeg Grissom.
'Ja, dat klopt.' Ze knikte nors, haar ogen nog altijd op de grond gericht.
'Ze werd bijna helemaal door die rots afgeschermd,' vervolgde Boyington, 'vermoedelijk was dat de reden waarom we hem hebben uitgekozen. Verder weet ik niet wanneer zij schoot of werd beschoten. Ik had al twee kogels op de koplampen van de truck afgevuurd – en misschien ook minstens een op de carburateur – om dat verdomde ding af te stoppen voordat hij ons omver zou rijden.'
'Dus je weet niet precies wanneer je hebt geschoten, voor- of nadat je Jane hoorde schreeuwen?'
Boyington dacht een ogenblik na.
'Nee,' zei hij ten slotte hoofdschuddend. 'Ik weet niet echt zeker in welke volgorde het gebeurde. De koplampen schenen recht in mijn gezicht, dus ik weet dat ik daar het eerst op heb geschoten. Daarna werd alles behoorlijk tricky.'
'Dat kan ik me voorstellen,' zei Grissom knikkend. 'Heeft iemand anders Jane achterover zien vallen?' Hij keek naar de rest van de zittende groep.
Mace, Jackson en Tallfeather schudden allemaal hun hoofd.
'Oké, nu we dat min of meer hebben opgelost,' Grissom richtte zijn aandacht weer op de verklikster, 'voor wie werk je, Jane?'
'Ik ben freelance, ik werk voor niemand. Deze kerels hebben me

gedwongen mee te werken om Ricardo op te pakken.' Ze staarde nog steeds naar de grond, maar knikte naar de twee DEA-agenten en mogelijk ook de twee staatsagenten van Narcotica, dat kon Grissom niet zeggen.
'Dus je beschrijft jezelf als een onafhankelijke partij, geen banden met welke overheidsdienst ook?'
'Zo is het.' Smith tilde met een ruk haar hoofd op, met wijd open ogen vol minachting. 'Ik ben geen ambtenaar en ik wil hier echt niet zijn. Dus wat gebeurt er als ik weiger mee te werken?'
Grissom keek naar Jim Brass, die zijn schouders ophaalde, en vervolgde achteloos: 'Dan kunnen we je in hechtenis nemen als een belangrijke getuige van een schietincident of als een verdachte bij dat schietincident.'
'Dus ik kan niet vertrekken wanneer ik wil?'
'Nee. Je kunt pas weg als wij je laten gaan,' bevestigde Grissom.
Jane Smith slaakte een lange, geërgerde zucht en ging weer naar iets belangwekkends op de grond zitten staren.
'Oké,' zei Grissom, 'nu we dat ook hebben opgehelderd, moeten we jullie handschoenen innemen, een afstrijk van jullie handen nemen in verband met kruitresten, al jullie wapens verzamelen en vervolgens hebben we jullie vingerafdrukken nodig om een en ander uit te sluiten. Jullie kunnen op het bureau je laarzen en kleding inleveren.'
'Ga je die mannen hier ter plekke hun wapens afnemen?' bracht Fairfax naar voren vanaf de overkant van de kampeerplek. Hij kon het niet geloven.
'Inderdaad,' zei Grissom terwijl hij zijn blik op de DEA-chef richtte. 'Het is standaardprocedure om aan het begín van het onderzoek alle in hun bezit zijnde vuurwapens die mogelijk bij het schietincident in kwestie betrokken waren in te nemen, inclusief alle reservewapens. Dat begrijp je toch wel?'
'Ik begrijp de redenering, maar waarom hier en nu?' zei Fairfax op hoge toon. 'Je weet dat drugsdealers niet alleen opereren, zeker niet hier in dit niemandsland. Het is heel goed mogelijk dat een stuk of vijf mannen van Ricardo ons op dit moment in de gaten houden.'

'Ook al zouden Lamos' mannen daar nog zijn, wat ik ernstig betwijfel,' snauwde Brass, 'en ze zouden zien dat we de wapens van je agenten innemen, dan zien ze ook dat deze plek wordt beschermd door nog eens twaalf bewapende politieagenten – nog los van de gewapende helikopterbemanning, en het feit dat zowel jij als Holland gewapend zijn. Volgens mij zijn wij dan om te beginnen met twee tegen één in het voordeel, niet meegerekend dat wij beschikken over nachtkijkers, luchtdekking en, uiteraard, alle uniform-back-up die we nodig hebben, en het plaatselijke leger... als het zover mocht komen.'
Fairfax zag eruit alsof hij iets wilde zeggen, maar hij hield wijselijk zijn mond.
'Dat zou toch meer dan genoeg vuurkracht moeten zijn om met een handvol van Ricardo's mannen af te rekenen, in het onwaarschijnlijke geval dat ze daar werkelijk zijn en echt zo stom zijn om zich hier in de buurt te wagen. Maar ik kan geen enkele logische reden bedenken waarom ze dat zouden willen, want volgens mij zijn hun drugs hier helemaal niet, en ze krijgen niet betaald om in een kogelregen het lijk van hun baas weg te halen,' voegde Brass eraan toe.
'Ja, maar vergeet niet dat de helft van onze twaalf gewapende mannen technisch rechercheurs zijn,' protesteerde Holland.
Grissoms teamleden keken elkaar veelbetekenend aan. Ze oefenden allemaal min of meer regelmatig met hun wapen, en waren gewend aan de neerbuigende 'nerd'-opmerkingen die ze zo nu en dan van arrogante politiemannen naar hun hoofd kregen geslingerd. Dat deed ze allang niets meer.
'Als de dingen uit de hand lopen, zullen we proberen niemand te raken,' glimlachte Grissom opgewekt terwijl Brass naar Fairfax en Holland gebaarde dat ze uit de buurt van het terrein moesten blijven. 'Nou, we gaan als volgt te werk. Jullie gaan een voor een naar technisch rechercheurs Sidle en Sanders. Die nemen jullie handschoenen in ontvangst en maken in verband met kruitresten een afstrijk van jullie beide handen. Dan...'
'Wat heeft dat voor zin? We hebben allemaal al toegegeven dat

we onze wapens hebben gebruikt,' zei rechercheur Jeremy Mace.
'Voor de reconstructie van een schietincidentlocatie is heel veel basisinformatie nodig, die zo snel mogelijk na het precieze tijdstip van de schietpartij moet worden verzameld,' legde Grissom uit. 'Aangezien we nu niet weten wat wellicht later van betekenis kan zijn, verzamelen we routinematig heel veel bewijs, waarvan het meeste nooit wordt gebruikt.'
'Oké, prima,' knikte Mace, een afwerend handgebaar makend. 'Ik zei toch dat ik zou meewerken.'
'Mooi,' zei Grissom knikkend, 'ga jij dan vast je wapens en munitie bij rechercheurs Brown en Stokes inleveren, waarvoor je natuurlijk een bonnetje krijgt, en je vingerafdrukken laten afnemen.'
Grissom keek neer op de nog steeds ingezakte Jane Smith en glimlachte. 'Te beginnen met jou, miss.'
Smith kwam aarzelend overeind.
'Nou, ga alsjeblieft daarheen, geef ze je handschoenen en steek je handen naar voren.'
De jonge vrouw schuifelde naar Sara en Greg, die met plastic handschoenen aan stonden te wachten, met een paar manilla enveloppen en een kruitrestenverzamelkit. Jane stak haar handen uit en staarde Sara aan, liet de waakzame en behoedzame rechercheur voorzichtig haar isolerende handschoenen uittrekken, die ze vervolgens in de apart gemarkeerde enveloppen stopte, en keek met afgezakte schouders toe terwijl de twee technici zachtjes kleverige wattenschijfjes op de voor- en achterkanten van haar vieze hand drukten, terwijl Catherine het hele proces systematisch fotografeerde.
'Zie je wel, niets aan,' zei Greg. Hij schonk haar zijn charmante glimlachje, maar dat werd slechts met een kort afkeurend gesnuif beantwoord.
'Aan dit deel wil ik nog wel meewerken,' fluisterde Jane Smith met een gevaarlijke ondertoon in haar stem, 'maar ik geef mijn wapens niet af zolang Ricardo nog in de buurt is.'
'Wat zei je?' vroeg Catherine.
'Ik zei dat ik mijn wapens niet afgeef omdat Ricardo nog in de

buurt kan zijn,' snauwde Jane terwijl ze met wijd open, opgefokte ogen de rechercheur aankeek.
'Nee, je zei in de buurt "is", niet "kan zijn",' corrigeerde Catherine. 'Dat impliceert dat je niet gelooft dat de dode man in die truck Ricardo Paz Lamos is. Toch?'
'Ik... ik denk wel dat Ricardo in de truck zit, dat hoop ik tenminste. Maar ik geef mijn wapens niet af totdat ik het zeker weet, dus je kunt rustig vergeten...'
Jane Smith maakte de fout om met haar blote vinger midden in Catherines borst te prikken.
Grissom zag hoe Catherine ongelovig omlaag keek naar de vinger die zich diep in haar kogelvrije vest groef, en toen weer terug naar de grote ogen van de verklikster. In een enkele soepele beweging greep ze met haar rechterhand Smith bij de pols, draaide hem om en dwong de verbijsterde jonge vrouw met geboeide pols op haar knieën.
'Vergeet het maar,' zei Catherine meelevend.
Jane Smith ontplofte. Eerst probeerde ze zich uit de handboei te worstelen. En toen dat niet lukte, schopte ze woedend met haar laars tegen Catherines been.
Even later had Smith van Warrick en Nick een klap in het gezicht en op haar plexus solaris te pakken en stond ze tegen het linker voorspatbord van de dichtstbijzijnde patrouillewagen van de politie van Las Vegas. Voordat de verbijsterde informante op adem was gekomen, had Warrick haar handen op de rug geboeid terwijl Nick en Catherine haar snel en systematisch op wapens fouilleerden.
'Als je het waagt,' waarschuwde Nick kalm toen de uitzinnige verklikster haar voet weer in stelling wilde brengen... en aarzelde toen de glimlachende technicus zijn hand uitstak en stevig de schakels tussen de handboeien vastgreep terwijl Warrick een stap opzij deed.
'Hé, wat zijn jullie aan het doen?' protesteerde een stem op de achtergrond.
'Twee pistolen – een 9mm Glock in heupholster en een hammerless .38 Smith & Wesson met extra korte loop uit haar linker- en rechterjaszak. Mooie oogst,' rapporteerde Warrick, de stem nege-

rend, terwijl Catherine en Nick hem de ontdekte wapens overhandigden. Vervolgens openden ze de deur van de patrouillewagen en zetten de nog steeds vloekende Jane Smith op de achterbank.
'Ik zei, wat zijn jullie aan het doen?' herhaalde Fairfax, en hij wilde op de drie technisch rechercheurs aflopen maar aarzelde toen Jim Brass hem de weg versperde.
'Ze arresteren haar wegens bedreiging van een rechercheur in functie, dát zijn ze aan het doen.'
'Maar ze is...'
'Miss Smith is een belangrijke getuige van een verdacht schietincident en bovendien in hechtenis genomen. En als iemand anders dit onderzoek wil belemmeren en ook gearresteerd wil worden, dan is dit een uitstekend moment om dat kenbaar te maken.' Brass keek de kring agenten rond, maar kreeg van de vier federale en DEA-staatsagenten alleen kwaadaardige blikken. Connor Grayson, de hoofdparkwachter van het Fish & Wildlife Park, keek verbijsterd.
'En nu we het toch over belemmeren hebben,' vervolgde Brass, zijn aandacht op Fairfax en Holland richtend, 'jullie waren toch zo bezorgd dat de mannen van Ricardo Paz Lamos misschien nog in de buurt waren en op het juiste moment op zoek zouden gaan naar de vermiste drugs? Dan kunnen jullie met zijn tweeën mooi het gebied met de helikopter afzoeken, en ik vermoed dat het reddingsteam jullie met veel plezier zal willen helpen.'
Fairfax en Holland keken naar elkaar en toen naar hun rechercheurs.
'Ik weet zeker dat jullie mannen hun rechten en het algehele reconstructieproces van een schietincident veel beter kennen dan miss Smith,' voegde Brass eraan toe. 'Ik verwacht verder geen problemen. Maar mocht zich iets voordoen' – hij stak zijn mobieltje weer omhoog – 'dan bel ik jullie en zijn jullie hier binnen een paar minuten terug.'
'Kom mee,' zei Holland na een ogenblik. Hij greep Fairfax bij de arm en trok de nog steeds weifelende assistant special agent naar de geïmproviseerde landingsplaats.
Grissom wachtte tot de geërgerde hoofdinspecteurs in de donker-

getinte helikopter waren gestapt en de rotoren van beide luchtvoertuigen werden opgestart, voor hij zijn aandacht weer op de vijf zittende wetshandhavers richtte.

'Goed dan,' vervolgde de CSI-chef alsof er niets bijzonders was gebeurd, wat in zijn ogen ook zo was, 'terwijl de rest van jullie verder met ons meewerkt, gaan Catherine en ik het voertuig onderzoeken dat hier het middelpunt van al die commotie lijkt te zijn.'

3

De eerste keer dat de militaire helikopter aankwam, werd Viktor op open terrein verrast. Terwijl hij daar aan het werk was en het bekende rommelende geluid van de zware rotorbladen van de Black Hawk tegen de canyonwanden weerkaatste, moest hij halsoverkop dekking zoeken.
Toen hij met zijn nachtkijker weer op zijn positie terug was, was het gepantserde luchtvaartuig aan de overkant van de kampeerplek geland, vlak bij de zwaailichten van de opgeroepen politiepatrouillewagens uit Las Vegas en hun reddingshelikopter, die daar een kwartier eerder in de buurt was geland.
Met al dat licht in de omgeving had Mialkovsky het grote, heldere politielogo op de langwerpige, eivormige Hughes helikopter gemakkelijk kunnen onderscheiden, evenals het feit dat op de donkere Black Hawk geen enkel zichtbaar herkenningsteken te bekennen was.
Hij had zich er totaal geen zorgen over gemaakt dat de politie uit Las Vegas en de helikopter zo snel waren gearriveerd. Deze agenten waren getraind en toegerust om met dronkenlappen, junks en andere relatief onprofessionele idioten om te gaan, en hun optreden was dan ook heel voorspelbaar 'politieachtig'. Maar hij schrok toen er een speciaal legercommando van het naburige Nellis Test- en Trainingsterrein ten tonele was verschenen, om welke reden dan ook. Mialkovsky wist uit eigen pijnlijke ervaring dat de speciale legercommandoteams voortreffelijk waren uitgerust en getraind om af te rekenen met individuele scherpschutters die zich op rotsachtige bergruggen ophielden. Als zo'n club was opgetrommeld, zou hij met gemak kunnen worden ingesloten door een stel met nachtkijkers uitgeruste spotters en schutters, die via radiocontact met elkaar in verbinding stonden en net zo door de wol geverfd waren als hij.

Als dat gebeurde, zo wist Mialkovsky, dan zou zijn missie op zijn zachtst gezegd hopeloos in gevaar komen en zijn zuurverdiende, betrouwbare reputatie ernstige schade oplopen.

Alles bij elkaar had hij geluk als hij het er levend vanaf zou brengen.

Dus besteedde hij het volgende uur aan het zorgvuldig verplaatsen van zijn basisuitkijkpost naar een redelijk compromis: een plek met een paar jeneverbesstruiken, voor het geval hij luchtdekking nodig had, die een redelijk uitzicht bood op beide taferelen en vanwaar hij zich via minstens drie ontsnappingsroutes zou kunnen terugtrekken als dat nodig mocht blijken.

Mialkovsky had zich op zijn werk geconcentreerd en geen acht geslagen op de geanimeerde gesprekken van het groeiend aantal figuren – al of niet in uniform – op de kampeerplek in de verte. Pas toen de drie nagenoeg identieke GMC Denali's achter de felgekleurde truck van het Fish & Wildlife Park waren opgedoken, had hij zijn zorgvuldige voorbereidingen gestaakt.

De kampeerplek was voor Mialkovsky te ver weg geweest om te kunnen onderscheiden of er markeringen op de Denali's stonden, laat staan dat hij een van de uit de donkere SUV's stappende mensen kon herkennen, maar hij wist bijna zeker wie ze waren, of waarom ze bij dit specifieke schietincident ten tonele waren verschenen. Las Vegas' legendarische CSI-team is erbij geroepen om een reconstructie te doen. Hij had veelbetekenend geknikt. Zijn hersens werkten onafgebroken op volle toeren terwijl hij de zes identiek geuniformeerde, groene gedaanten uit hun auto's zag stappen om zich met de andere aanwezigen bezig te houden. Ben jij dat daarbeneden, Grissom, had Mialkovsky zich afgevraagd terwijl hij toekeek hoe de leidende figuur de andere vijf teamleden een paar instructies gaf voordat hij zelf aan het werk ging. Zou dat niet ironisch zijn... dat onze paden elkaar opnieuw kruisen?

Terwijl hij zich stilletjes en voorzichtig tussen de rotsen bewoog en kleine aanpassingen aanbracht, had Viktor Mialkovsky gemerkt dat zijn geest en lichaam bijna onstuimig reageerden op dit verhoogde gevoel van gevaar.

Eindelijk tevreden met de verdeling en opstelling van zijn apparatuur, was Mialkovsky teruggekeerd naar zijn plek, vastbesloten om alle cruciale elementen nog een keer te controleren, toen hij in de verte weer het weergalmende rotorgeluid van de opstartende Black Hawk hoorde.

In zichzelf vloekend wist hij nauwelijks op tijd naar zijn nieuwe positie te klauteren en zich terug te trekken onder het dunne woestijncamouflageafdak – een thermische deken speciaal ontworpen om de warmtestraling van zijn lichaam tegen met infraroodkijkers uitgeruste nachtzichtsystemen te beschermen, op zowel grote als lage hoogte – toen de Black Hawk brullend met een wijde boog over het oostelijk deel van de Sheep Range de lucht in ging.

Mialkovsky stak de lens van zijn nachtvizier vanonder de overkapping naar buiten en zag hoe de twee helikopters een reeks zorgvuldig georkestreerde vluchten over het kampeerterrein uitvoerden, de politiehelikopter vloog steeds hoger in noordwestelijke richting naar de Sheep Range terwijl de Black Hawk zijn bewegingen naar het zuidwesten, richting Las Vegas, uitbreidde.

Zo nu en dan bleef de Black Hawk even vlak boven de grond hangen of leek zelfs te gaan landen – dat kon Mialkovsky niet precies zien – en daarna vervolgde hij doelgericht zijn tocht.

Mialkovsky had geen idee waar de Black Hawk naar zocht of wat hij aan het doen was, maar doordat hij aanvankelijk snel over het lagere gedeelte van Sheep Range vloog, en de politiehelikopter met trage en systematische bewegingen de bergen naderde, kon hij met gemak het nachtzichtcamerasysteem bekijken, het infrarode zoeklicht en het warmtebeeldsysteem die onder aan beide luchtvaartuigen bevestigd waren.

Hij zag onmiddellijk dat het bij beide om geavanceerdere – maar lang niet zwaar uitgeruste – versies nachtzichtapparatuur ging dan je normaal gesproken op legerhelikopters aantrof.

Met deze nieuwe wetenschap overdacht Mialkovsky even zijn situatie, zowel opgelucht als bezorgd.

De kwaliteit van de op de Black Hawk bevestigde nachtzichtkijkers en de warmtezoeksystemen – hogeresolutieapparatuur die door federale misdaadbestrijders routinematig werd gebruikt om criminele

verdachten op te sporen – wees er sterk op dat hij zich geen zorgen hoefde te maken dat een speciaal legercommandoteam zou worden opgetrommeld.
Dat was mooi.
Maar het feit dat op uitgerekend deze plek de federale politiehelikopter was opgedoken kort na de gewelddadige schietpartij met de als een uitzinnige vluchtende hispanic wees sterk op een mislukte federale drugsdeal.
Dat was niet zo mooi.
De narcotica-agenten zouden ongetwijfeld het gebied op andere verdachten uitkammen, waardoor hij ernstig in zijn tactische mogelijkheden zou worden belemmerd.
En de komst van zes technisch rechercheurs, in plaats van de normale twee of drie, suggereerde dat het om een gecompliceerd schietincident ging. En waarschijnlijk zouden ze de hele nacht bezig zijn om de gebeurtenissen te reconstrueren en elke ontwikkeling waarvoor om te beginnen het groter-dan-normaal-team hier was opgedoken, proberen op te lossen.
En dat zou wel eens héél slecht voor hem kunnen uitpakken.

4

Grissom en Catherine liepen behoedzaam naar het haastig aangebrachte afzetlint. Ze hadden een stapel felgekleurde, met draad omwikkelde locatievlaggen in hun vesten gepropt en in hun gehandschoende handen droegen ze felle zaklampen en digitale flitscamera's. Tijdens het lopen zwaaiden ze de lichtbundels van hun zaklantaarns voortdurend over de grond voor zich uit, een dubbele routinecontrole om er zeker van te zijn dat de agenten die als eersten ter plekke waren geweest de omtrek van het afzetlint groot genoeg hadden gemaakt zodat al het relevante bewijs daarbinnen viel. Ze bleven bij de rand van de cirkel staan, onderzochten de talloze laarsafdrukken, het omgewoelde zand en de lege patroonhulzen die tussen de truck en het felgele tape op de grond lagen, toen Jim Brass naast hen opdook.

'Hoe gaat het?' vroeg hij.

'We doen dit op het verkeerde moment,' verklaarde Grissom terwijl hij even bleef staan en zijn blik over een groter deel van het terrein liet glijden.

'We hebben niet genoeg lampen om het hele terrein fatsoenlijk te verlichten, dus we moeten stukje bij beetje te werk gaan.'

'Wil je liever wachten tot het licht wordt?' vroeg Brass, slecht op zijn gemak.

Dat werd met een verre bliksemflits beantwoord, ergens aan de donkere hemel, waar de wolken zich snel samenpakten.

'Dat zou wat zijn,' zei Grissom, met een hoofdgebaar naar de lucht, 'maar ik geloof niet dat er morgen nog iets van het terrein over is. Als je wilt dat we de serie schoten enigszins accuraat reconstrueren, dan kunnen we maar beter meteen aan de slag gaan.'

'Ik wil dat het terrein zo snel en grondig wordt onderzocht als maar mogelijk is,' antwoordde Brass.

'Zet de baas je soms onder druk?' vroeg Catherine.

'De sheriff heeft gebeld en laten weten dat hij in dit geval absoluut "snelheid en grondigheid" verwacht,' antwoordde Brass, 'maar hij is het probleem niet.'

Grissom trok vragend zijn rechterwenkbrauw op.

'Vooral omdat hij de stad uit is en morgenmiddag pas terug is,' legde Brass uit, en er trok een pijnlijke uitdrukking over zijn gezicht. 'Mace, Boyington en Tallfeather zijn het probleem. Mace is de zoon van een staatssenator uit Nevada, Boyington heeft rijke ouders die veel connecties hebben bij de campagnestaf van de regering en Tallfeather is de jongste zoon van een opperhoofd van de Paitue, die in het Moapa River indianenreservaat wonen.'

'O,' zei Grissom ten slotte. Het was bekend dat hij nauwelijks belangstelling had voor de lokale politiek en dan nog alleen als zulke onzin wellicht invloed zou kunnen hebben op zijn plaats-delictonderzoek. 'Nou, dat zijn dan drie vliegen in één klap.'

Brass schonk hem een afgemeten grijns voor hij antwoordde.

'Het zou mooi zijn als het lichaam in die truck van drugsmokkelaar Ricardo Paz Lamos is, als we tien kilo coke vinden en het schietincident correct is verlopen, maar...'

'Dat geloof je niet,' opperde Grissom.

'Nee, ik denk dat hun verhaal niet klopt... Misschien kloppen verschillende dingen wel niet. Ik weet alleen niet wat.'

'Het verbaast me dat Jackson geen problemen maakt,' zei Catherine. 'Hij was tijdens de eerste ondervraging behoorlijk agressief. Ik kreeg de indruk dat hij wellicht iets te verbergen heeft.'

'Jackson heeft zelf een probleem,' zei Brass. 'Volgens Fairfax is hij betrokken geweest bij drie eerdere verdachte schietincidenten, en technisch gesproken zit hij nog steeds in zijn proeftijd, wat dat ook mag betekenen.'

'Waarschijnlijk dat hij hier vanavond niet bij die schietpartij had mogen zijn, waardoor *Fairfax* wellicht een probleem heeft,' zei Catherine met een veelbetekenende grijns.

'Jackson was bij deze deal als teamleider aangewezen, maar ik neem aan dat hij de operatie vanuit hun veldcommandocentrum had moeten leiden,' zei Brass. 'Als dat het geval is, dan zou het Fairfax en de DEA goed uitkomen als Jackson pas als laatste heeft geschoten, en dan nog alleen om de truck tegen te houden, maar dat lijkt niet in zijn modus operandi te passen.'

'Dus wat denken we nu te weten?' vroeg Grissom.

Brass haalde zijn blocnote tevoorschijn. 'Volgens mij weten we dat Jackson twee keer door Ricardo Paz Lamos mobiel is gebeld om te vertellen dat hij later kwam, de reden waarom het pseudokoopteam er zo ontspannen bij zat en zich nog niet op zijn komst had voorbereid. Iedereen is het erover eens dat ze zo nu en dan onder aan de Sheep Range motorgeluiden hebben gehoord, grofweg ten westen en noordwesten van deze plek, maar vanwege al die echo's was de richting moeilijk te bepalen. Niemand heeft koplampen gezien, maar Grayson zei dat dat niet zo gek was omdat zich in dit gebied regelmatig stropers ophouden, die een van de laatste dikhoornschapen ter wereld proberen af te schieten. Dus niemand maakte zich echt zorgen over dat motorgeluid, behalve Grayson, die het gebied wilde controleren, maar Jackson en Mace hebben hem daarvan afgebracht.'

'Die wilden waarschijnlijk niet dat hun schitterende drugsoverval zou worden opgeblazen door een stelletje bedreigde schapen,' zei Grissom afkeurend.

'Precies,' zei Brass met een knikje. 'Dus iedereen zit met elkaar te praten, en de informante – onze lieftallige Jane Smith – wordt steeds meer paranoïde als ze plotseling, misschien een kwartier voordat de truck hier aankomt, ergens uit de richting van de Sheep Range het geluid van automatisch geweervuur horen, alweer grofweg ten westnoordwesten van hier.'

'Automatisch geweervuur? Dat klinkt niet als stropers,' zei Catherine. 'Ik zou denken dat ze wel wat subtieler te werk zouden gaan, vooral met wildparkwachters als Grayson op de uitkijk. Misschien moest Ricardo Paz Lamos voor zijn deal met Jackson en diens team nog wat andere zaakjes afhandelen.'

'Misschien, maar vergeet niet dat het leger aan de westkant van de Sheep Range testen uitvoert en er ook traint,' bracht Grissom te berde. 'Ik kan me zo voorstellen dat ze heel wat behoorlijk lawaai-

ige automatische wapens hebben, die allemaal regelmatig getest moeten worden. Misschien dat het geluid ver droeg?'
'Maar waarom zouden ze midden in de nacht gaan testschieten?' vroeg Catherine.
Grissom haalde zijn schouders op – hij had geen flauw benul van wat het leger allemaal wel of niet deed, en nog minder waarom.
'Grayson zei dat er zo nu en dan op het test- en trainingsterrein wordt geschoten, maar dat het hier zelden te horen is,' zei Brass. 'Hoe dan ook, toen het schieten was opgehouden, hoorden ze in dezelfde richting de motor van een auto accelereren, het geluid werd harder – alsof er een voertuig vanaf de voet van de berg de zandweg op kwam rijden – en toen verscheen uit het niets die rode truck, die doet bij het kruispunt zijn lichten aan, maakt een scherpe bocht naar links, rijdt zo op deze kampeerplek af en vervolgens in volle vaart regelrecht op de undercovers af.'
'En op dat moment begon het schieten?' vroeg Grissom.
'Kennelijk,' bevestigde Brass. 'Bovendien reed een paar seconden na het begin van de schietpartij een tweede auto er over diezelfde weg als een idioot vandoor, met zijn lichten aan, maar die sloeg niet naar de kampeerplek af. Die hotste gewoon de weg af richting Las Vegas.'
'Probeerde te ontsnappen aan een spervuur van automatische geweren?' vroeg Grissom.
'Dat zou heel goed kunnen,' stemde Brass in. 'Iedereen op de kampeerplek zag die tweede auto voorbijrijden, maar de enige die hem echt goed heeft gezien was Boyington, en dan nog maar een fractie van een seconde. Hij denkt dat het een donkergekleurde SUV was, mogelijk een Escalade, absoluut een nieuw model, en groot. Maar hij geeft toe dat het een gok is, want het zand vloog alle kanten op en ze concentreerden zich nog steeds op de truck. We hebben bij de lokale ziekenhuizen een oproep geplaatst, voor het geval dat.'
'Was het misschien Ricardo Paz Lamos geweest, die met de coke wegvluchtte?' vroeg Catherine.
'Ook een mogelijkheid,' zei Brass, 'hoewel ik nauwelijks kan geloven dat hij zich op die manier uit de voeten zou maken – en zeker

niet met brandende koplampen – en het kruispunt voorbijrijdt waar de deal had moeten plaatsvinden. Grayson zei dat je via verschillende zandwegen uit het park weg kunt komen, dus had hij zich met gemak ongezien uit de voeten kunnen maken. En Jackson en Smith vertelden allebei dat Ricardo bepaald niet het soort is dat aarzelt om op Mexicaanse of Amerikaanse agenten te schieten. Met zo'n reputatie had ik van hem verwacht dat hij tijdens het langsrijden minstens een paar schoten had gelost, al was het maar uit zelfrespect.'

'Over schieten gesproken, heeft iemand beweerd dat hij de verdachte in de truck feitelijk een wapen zag afvuren?' vroeg Catherine.

'Smith, Tallfeather, Jackson en Grayson zeggen allemaal heel zeker te weten dat ze geweervuur uit de truckcabine zagen komen voordat ze op de verdachte schoten,' antwoordde Brass nadat hij zijn aantekeningen had doorgekeken. 'En zowel Smith als Mace zijn er zeker van dat er op hen geschoten is – Smith vanwege haar hoofdwond en Mace omdat hij minstens één kogel langs zijn hoofd hoorde fluiten. Alle zes undercovers geven toe dat ze hun wapens op de truckbanden of het motorblok hebben gericht, in een poging de truck tot staan te brengen. Maar de vijf die zeggen dat ze op de cabine hebben geschoten – dat moeten Smith, Tallfeather, Jackson, Boyington en Mace zijn geweest – benadrukken dat ze dat pas deden toen ze zelf door iemand uit de truck werden beschoten.'

'Heeft na het schietincident iemand de truckdeur opengemaakt of is er iemand in de cabine geweest?' vroeg Grissom.

'Jackson zei tegen Tallfeather dat hij om back-up moest vragen terwijl hij, Mace, Boyington en Smith naar de truck liepen,' zei Brass. 'Ze hebben allemaal door de versplinterde ramen in de cabine gekeken, maar kennelijk heeft niemand de deuren daadwerkelijk aangeraakt, en ze zijn ook niet in de cabine geweest.'

'Liet Jackson Jane Smith met een geladen wapen naar de truck gaan?' zei Catherine met bezorgd gefronste wenkbrauwen. 'Is dat niet een beetje gek?'

'Jackson zei dat zij de enige was van de groep die Ricardo Paz

Lamos persoonlijk heeft ontmoet,' legde Brass uit. 'Dat was sowieso de reden waarom ze erbij was. Ze was doodsbang voor die kerel, beweert dat hij een prijs op haar hoofd heeft gezet – de reden waarom ze van Jackson een wapen mocht dragen. Ze wilden dat ze het lichaam in de truck zou identificeren, maar dat ging niet omdat het gezicht van die vent weggeschoten was.'
'En hoe zit het met Grayson?' Catherine keek op van haar aantekeningen.
'Hij is er bijna zeker van dat hij als eerste op de aanstormende truckbanden heeft geschoten, in een poging de truck af te stoppen,' zei Brass. 'Hij zegt ook dat hij niet op de cabine had gevuurd omdat hij de verdachte niet goed kon zien. En nadat de koplampen van de truck aan gruzelementen waren geschoten, wist hij ook niet meer waar de andere undercovers en Smith zich bevonden. Zodra het schieten was opgehouden, heeft hij zijn radio gepakt en de politie van Las Vegas om back-up gevraagd.'
'Ik dacht dat je zei dat Tallfeather om back-up had gevraagd,' zei Grissom.
'Dat zei Jackson, maar de telefonist heeft bevestigd dat agent Grayson de oproep heeft gedaan.'
'Wie heeft Tallfeather dan volgens jou gebeld? Fairfax?' vroeg Catherine.
'Waarschijnlijk,' zei Brass. 'Het zou verklaren waarom hij en Holland hier zo snel waren. Maar als ik midden in de nacht onmiddellijke back-up nodig had tijdens een schietpartij bij een pseudokoop, geloof ik niet dat ik als eerste mijn baas zou bellen – al vloog hij in de buurt met een Black Hawk rond.'
'Dus eigenlijk wil je op al die vragen antwoorden voordat de sheriff je ten overstaan van de trotse ouders een schouderklopje geeft omdat je het zo goed hebt gedaan?' zei Grissom glimlachend.
'Het wordt een beetje lastig als ik alles moet herroepen op het moment dat de officier van justitie met aanklachten gaat zwaaien,' stemde Brass in. 'Dus wat moet ik anders?'
Grissom gebaarde met zijn hand naar de geparkeerde CSI-voertuigen. 'Achter in Warricks auto zitten twee stapels verzwaarde ver-

keerskegels – een A- en een B-stapel – met op de buitenkant grote zwart-witte alfanumerieke herkenningstekens en ronde fotomarkeerlijnen.'
'Oké, en?'
'Als we klaar zijn met de afstrijkjes en de vuurwapens hebben verzameld, zetten we steeds een paar van die kegels neer – A-één, A-twee, B-één, B-twee enzovoort – precies op die plekken waar de schutters stonden, zaten of hurkten toen de truck het terrein op kwam rijden... en waar ze uiteindelijk stonden op het precieze tijdstip van het schietincident. De A-kegels staan voor schutter nummer één, de B-kegels voor schutter nummer twee, enzovoort; de "lijn-één"-kegels zijn voor de plekken waar de truck is geweest en de "lijn-twee"-kegels voor de plekken vanwaar geschoten is.'
'En ik neem aan dat die plekken zijn gebaseerd op een individuele ondervraging van elke schutter – buiten gehoorsafstand van de anderen – met inbegrip van waar volgens hen de andere schutters moeten zijn geweest?'
'Dat zou ideaal zijn,' antwoordde Grissom. 'En terwijl jij vragen aan het stellen bent, moeten we bovendien weten hoe lang elke schutter is, en of ze tijdens het afvuren van hun wapens stonden, knielden of plat op de grond lagen.'
'En of ze rechts- of linkshandig hebben geschoten,' voegde Catherine eraan toe.
Brass maakte de nodige aantekeningen op zijn blocnote.
'Oké,' hij keek op van zijn notities, 'dus terwijl jullie rondom de truck aan het graven zijn, nemen wij die ondervragingen voor onze rekening. En daarna heb ik nog een klein onderonsje met miss Jane Smith terwijl de rest van jullie je ding doet.'
'Lijkt me een eerlijke werkverdeling,' zei Grissom.
Hij wendde zich tot Catherine. 'Wat denk jij?'
'Bij mij kun je wanneer je maar wilt komen aanzetten met een moeilijke plaats delict en een aan flarden geschoten lijk, in combinatie met een stelletje arrogante en nijdige undercovers.' Ze haalde met onbewogen blik haar schouders op.
'Deal,' zei Brass met een tevreden glimlach. Hij draaide zich om en

liep naar de geparkeerde Denali's terug, waar de vier technisch rechercheurs nog steeds druk bezig waren met het verzamelen van de eerste bewijzen.
'Fijn om te weten dat onze brave hoofdinspecteur de basisprocedures nog weet,' verklaarde Grissom toen hij en Catherine hun aandacht weer op de gehavende truck richtten. 'Denk je dat hij al die tijd stiekem zo'n forensisch-correct typetje was?'
'Ik betwijfel het,' zei Catherine hoofdschuddend terwijl ze haar blocnote in haar borstzakje terugstopte. 'Volgens mij wil hij alleen maar graag de slechteriken confronteren, wie of wat die ook mogen zijn, en zo te merken maakt het hem niets uit als hij daarbij een paar vuile handen krijgt.'

In de twintig minuten daarna, waarin Grissom en Catherine in tegengestelde richting zorgvuldig de omtrek van het afgezette gebied onderzochten – terwijl ze intussen elk een serie overzichtsfoto's van het terrein maakten en een paar van de locatievlaggen naast mogelijke bewijsstukken of belangrijke plekken plaatsten – zat Viktor Mialkovsky op zijn hurken onder zijn beschermende afdak. Hij verdeelde zorgvuldig zijn uitrusting in twee stapels, voor iets wat waarschijnlijk zou eindigen in een strategische terugtocht langs de westelijke heuvelrug van de Sheep Range.
Hij vond het geen fijn karweitje, maar het moest gebeuren.
Het ging erom dat hij zo veel mogelijk mee kon nemen, zonder dat hem dat al te zeer in zijn snelheid zou belemmeren.
Omdat hij het gebied een paar dagen geleden al had verkend, was Mialkovsky zich er terdege van bewust dat hij met twee problemen te maken had als hij zich midden in de nacht langs de achterkant van de Sheep Range zou terugtrekken: ten eerste een inspannende klim over en langs gladde rotsen en los gesteente; vervolgens een hachelijke afdaling door smalle, glibberige en vaak steile kloven, langs massief granieten bergrichels, steile rotsmassa's en zwerfkeien, waar een ondoordachte stap gemakkelijk kon resulteren in een val van dertig meter, waarbij hij kreupel kon raken of die hem zelfs fataal kon worden.

Ondanks deze overduidelijke problemen nam hij de route als laatste uitwijkmogelijkheid toch in zijn plannen op. Op de detailkaart van het Fish & Wildlife Park was die gemarkeerd als een van de vele hoge bergpaden waarlangs muildierherten en woestijnschapen al generaties lang aan hun menselijke en niet-menselijke doodsvijanden wisten te ontsnappen. En het feit dat de weg fysiek behoorlijk zwaar was – een wirwar aan richels, rotsmassa's en zwerfkeien – vond hij wel aantrekkelijk: daar zou hij zich voor zoekende helikopters kunnen verbergen en aan ze kunnen ontkomen.

En dat was cruciaal: wilde hij met succes kunnen ontsnappen uit iets wat al snel een mogelijke valstrik zou kunnen worden, dan kon Mialkovsky het zich absoluut niet veroorloven dat iemand hem zou zien.

Maar bij het plannen van zijn noodvluchtroute hield hij zorgvuldig rekening met het feit dat tussen die nauwe, rotsachtige geulen een grote, gespierde man, gekleed in dikke winterkleding, met een geweer met nachtvizier en geluiddemper in de ene hand, een opgevouwen thermodeken in de andere, een nachtkijker op zijn hoofd gebonden en met veertig kilo uitrusting en voorraden op zijn rug heel wat anders was dan een rank muildierhert of behendig woestijnschaap.

Vanaf het eerste ogenblik dat hij op de top van de Sheep Range had gestaan en naar het aangegeven pad op zijn kaart had gekeken, wist Mialkovsky dat langs die route een snelle en omtrekkende afdaling niet te doen was, niet met alle apparatuur en voorraden die hij voor deze missie had meegenomen.

En dan had hij nog geen rekening gehouden met het bijkomende probleem dat hij de nacht- en warmtekijkers moest ontwijken van de beide helikopters die boven zijn hoofd willekeurige zoekvluchten uitvoerden.

Er zat niets anders op dan alle overbodige spullen en voorraden onder een paar zwerfkeien in de buurt te verstoppen – en de strandbuggy op zijn schuilplaats achter te laten, want hij wist wel dat het voor de nacht gecamoufleerde voertuig overdag gemakkelijk door een onderzoeksteam ontdekt zou worden.

Dit was niet de manier waarop hij zijn zorgvuldig in scène gezette terrein had willen verlaten.
Maar door het onverwacht opduiken van de jonge hispanic, de daaropvolgende schietpartij op de kampeerplek en de snelle komst van de back-uppolitie-units was hij gedwongen zijn eerdere terugtrekkingsplannen radicaal om te gooien. En nu werd hij door de in steeds grotere cirkels vliegende helikopters gedwongen zijn toevlucht te nemen tot een vluchtroute die hij echt niet had willen nemen, tenzij zijn leven werkelijk in gevaar was. Die mogelijkheid had zo onwaarschijnlijk geleken dat hij letterlijk in zichzelf had moeten grinniken toen hij de laatste hand aan zijn plannen had gelegd.
Maar nu was het lachen hem wel vergaan.
Niet omdat het hem iets kon schelen dat hij de apparatuur en voorraden ergens moest verstoppen. Het was niet waarschijnlijk dat ze ontdekt zouden worden, ook al zouden de technisch rechercheurs de stofkam door het terrein halen. Hij wist dat hij de duurdere en moeilijk te vervangen spullen altijd op een later tijdstip kon ophalen.
Evenmin maakte hij zich zorgen over het feit dat hij de strandbuggy op de plaats delict moest achterlaten. Voor deze missie had hij het titanium voertuig uit een plaatselijk garagebedrijf gestolen – dat zo stom was geweest om een goedkoop en dus makkelijk te kraken slot op zijn voorraadschuur te zetten – en hij had wel verwacht dat die een keer zou worden gevonden.
Sterker nog, in zijn oorspronkelijke plan was hij ervan uitgegaan dat de politie van Las Vegas uiteindelijk de gestolen strandbuggy wel zou vinden en dat het spoor naar de garage zou terugleiden. En in dat geval zouden ze een blauw stuk zeildoek hebben aangetroffen dat een zorgvuldig gerangschikte stapel lege dozen tegen de zon beschermde, in plaats van een allterrainvoertuig van twintigduizend dollar. Maar verder niets wat hem met de diefstal in verband zou kunnen brengen. De zwarte verkenningskleding, het haarnetje, de muts en handschoenen die hij die nacht had gedragen waren er als het ware voor gemaakt om haren, vezels en mogelijk afdrukbe-

wijs tegen te houden, en hij had meer dan genoeg tijd gehad om ervoor te zorgen dat alle afdrukken in het zand van zijn straks-weg-te-gooien laarzen grondig waren verwijderd.
Het probleem waar Mialkovsky zich nu ernstig zorgen over maakte, terwijl hij de kleine stapel met essentiële spullen in zijn rugzak overdeed, had weinig te maken met de bewijsstukken die hij moest achterlaten, maar des te meer met het feit dat de tijd zo snel verstreek.
Op dit moment was de tijd zijn ware vijand.
Mialkovsky had erop gerekend dat hij lang voordat het lichaam van zijn doelwit zou worden ontdekt en de CSI-teams ter plaatse waren in Las Vegas terug zou zijn – en daar zorgvuldig en systematisch zijn hotelkamer zou ontdoen van welk latent of genetisch bewijs van zijn aanwezigheid ook. Maar in dat oorspronkelijke plan, dat hij inmiddels allang overboord had gegooid, was geen rekening gehouden met een derde partij die onverwachts in een lawaaiige rode truck ten tonele zou verschijnen.
Terugtrekkingsplan Bravo was in een vlammend vuurgevecht ter ziele gegaan, samen met de bestuurder van die truck.
En zijn alternatieve vluchtplan Charlie was al snel verdampt in de rotorbladen van de Black Hawk helikopter, toen die brullend in een wijde boog over de oostkant van de Sheep Range was komen aanvliegen.
Dus bleef er voor Mialkovsky niets anders over dan het laatste, onverwachte noodvluchtplan uit de kast te halen: een klim van om en nabij een uur, en een twee uur durende afdaling in het volslagen donker – weliswaar met behulp van zijn nachtkijker – gevolgd door nog eens een tocht van een halfuur door de overwegend open woestijn naar een kleine motorfiets, die hij zorgvuldig had verborgen als back-up voor precies zo'n situatie als deze.
Met drieënhalf uur had hij nog steeds tijd genoeg om zijn hotelkamer schoon te maken en kon hij allang op weg zijn naar Los Angeles voordat de politie van Las Vegas op het spoor van een professionele moord zou stuiten. Maar hij wist maar al te goed dat zijn eerdere inschatting gebaseerd was geweest op 'redelijk te verwach-

ten' omstandigheden, waarin zeker geen helikopters thuishoorden, die hem nu elk moment konden spotten.
Mialkovsky wist dat als de zoekende piloten deze kant op kwamen, en er voor hem dus niets anders op zat dan met een grotere omtrekkende beweging naar zijn verborgen motorfiets af te dalen, hij te voet makkelijk opgespoord kon worden zodra de zon aan de oostelijke hemel begon op te komen – open en bloot voor iedereen die toevallig zijn richting op keek.
Dat zou verschrikkelijk zijn, dat zou bijna zeker uitdraaien op zijn overgave, of een gevecht op leven en dood dat hij onvermijdelijk zou verliezen als de politie de bepaald onburgerlijke tactieken van hun tegenstander zou herkennen en waarschijnlijk het leger erbij zou halen.
Volgens de *posse comitatus*-wet mocht het leger nooit ingrijpen bij de wetshandhaving tussen burgers, maar Mialkovsky wist uit ervaring dat een slimme politiehoofdinspecteur altijd een beroep kon doen op een uiterst vakkundige en zwaarbewapende back-up als hij beweerde dat de verdachte in legeruniform opereerde en met legerapparatuur was uitgerust. Hij was drie keer lid geweest van zo'n speciaal back-upteam.
Totdat dat gebeurt, kan ik daar niets aan doen, zei hij schouderophalend tegen zichzelf toen hij het nu veel kleinere en lichtere pak op zijn schouders hees. Hij bukte om zijn geweer met nachtvizier en de opgevouwen thermodeken op te pakken, zich er intussen vagelijk van bewust dat zijn overlevingsinstincten op een onzichtbare en onhoorbare prikkel reageerden, en nu zijn aandacht opeisten.
Vijf minuten later begreep hij waarom.
Gekleed in een strakke winterse overlevingsparka met bergcamouflage die doeltreffend zijn lichaamswarmte vasthield, maar waardoor zijn gehoor wel werd beperkt, zocht Mialkovsky zich voorzichtig een weg rond de open plek waar zijn doelwit en het ongelukkige hert gehavend en doodstil op het ijskoude zand en gesteente lagen, toen hij door het plotseling echoënde gebrul van een naderende helikopter struikelend dekking zocht onder een andere jeneverbesstruik in de buurt.

5

Nadat ze systematisch langs de omtrek van het afzettape naar elkaar toe hadden gewerkt, kwamen Grissom en Catherine uiteindelijk weer uit op de plek waar ze waren begonnen, en ze vergeleken even hun aantekeningen.

Daarna betraden ze het terrein aan de kant waar de patrouillewagen stond die de rechterkant van de vernielde truck verlichtte. Dat deden ze heel voorzichtig, een voor een, terwijl ze rustig het tape voor elkaar omhooghielden, en vervolgens liepen ze naar de truck. Bij elke stap bleven ze even staan en zochten de grond met hun zaklampen af om er zeker van te zijn dat ze niet op bewijsmateriaal trapten.

Een kwartier later stonden de twee technisch rechercheurs bij het bestuurdersportier van de door kogels gebutste truck, en hadden ze in totaal drieënzestig foto's genomen – van middellange afstand en close-up – om hun voortgang vast te leggen. In hun kielzog lieten ze een veld van verspreid neergepote felgekleurde vlaggen achter – die op lange draadstelen uit het zand staken – op de plekken waar de talloze lege pistool-, geweer- en revolverhulzen lagen, en de paar laarsafdrukken in het zachte zand en stof die misschien overeenkwamen met die van de undercovers of Jane Smith.

Rondom hun laarzen weerkaatste het licht van de twee zaklampen de duizenden glassplinters – zowel scherven als vierkante stukjes – die verspreid lagen in een omtrek van zo'n drie meter op de truckmotorkap en het omliggende zand, stof en de rotsen.

Terwijl Grissom en Catherine langzaam met de lampen over het zijspatbord van de truck gingen... over het gekartelde oppervlak van het bijna helemaal gebroken zijraam... en ten slotte in de truckcabine schenen, lichtten de felwitte lampen net zo'n veelkleurige verzameling gelamineerde kogelvrij-glassplinters en een verspreid patroon van gestold bloed, versplinterde botten en hersenweefsel dat de stoel en de hele achterruit bedekte.

Het lichaam van de verdachte lag gedraaid over de stoel, zijn rechterarm wees naar de passagiersdeur en de linker hing over de versnellingspook, alsof hij onder het dashboard naar iets zocht wat hij verkeerd had teruggelegd.
'Nogal duidelijk waarom Jane Smith die vent niet kon identificeren,' zei Catherine toen ze de straal van haar zaklantaarn over de verbrijzelde schedel liet glijden, die nauwelijks meer als menselijk herkenbaar was.
'Visueel heb je hier weinig aan,' stemde Grissom in terwijl hij een kleine, aan zijn vest bevestigde taperecorder aanzette om zich vervolgens al pratend toegang tot de truckcabine te verschaffen. 'De persoon ligt languit op zijn zij over de enkele voorstoel van een rode Ford pick-uptruck, bouwjaar onbekend. Hij lijkt een gespierde hispanic man, leeftijd onzeker – mogelijk achter in de twintig of begin dertig – die zo te zien gekleed is in een nylon skibroek en goedkope werklaarzen met afgebroken leren veters. Zijn gelaatstrekken lijken te zijn verwoest door talloze projectielen die met hoge snelheid zijn ingeslagen. Zijn polsen en nek zijn onbedekt, geen horloge, geen sieraden, geen zichtbare tatoeages... maar op de vingerknokkels van beide handen een paar zeer opvallende littekens.'
'Een bokser die met blote handen knokt?' opperde Catherine.
'Of een huurmoordenaar,' antwoordde Grissom schouderophalend terwijl hij zijn ooggetuigenverslag vervolgde. 'Uit het contactslot steekt een set sleutels. Op de grond aan de passagierszijde ligt een repeteergeweer... en zo te zien zitten er brandwonden op de opperhuid van de rechterhand.' De CSI-supervisor bestreek de met bloed bespatte hand in kwestie even met zijn zaklamplicht en zette toen de recorder uit.
'Niet wat je een automatisch wapen noemt,' zei Catherine terwijl ze het roestige geweer met haar zaklamp bescheen.
'Absoluut een traag schot, om het nog maar niet te hebben over het feit dat dit een waardeloze keus is als je van plan bent om het in je eentje op te nemen tegen een paar gewapende drugskopers of undercovers,' zei Grissom terwijl hij de bloed- en hersenspatten op en

rondom het lichaam verder onderzocht. 'Gek, vind je ook niet? Ik had het idee dat deze Ricardo Paz Lamos niet alleen gewapend, keihard en gewelddadig was, maar dat hij ook een redelijk intelligente en succesvolle drugsdealer was, gezien het feit dat hij de DEA al die jaren heeft weten te frustreren.'
'Aan zijn kleding, wapens en auto is dat anders niet te zien,' antwoordde Catherine terwijl ze de bespatte shabby binnenkant van de cabine bekeek. 'Die truck moet minstens dertig jaar oud zijn – waarschijnlijk ouder dan het slachtoffer is... of was.'
'Misschien wist hij daardoor drugs te verhandelen en al die jaren de narcoticabrigade te omzeilen: de arme migrantenarbeider als dekmantel, waardoor iedereen indut... tot het te laat is.'
'Ik zou er absoluut ingetuind zijn,' antwoordde Catherine. 'Zie jij nog meer wapens?'
'Zo meteen ga ik een kijkje aan de passagierskant nemen, zodra ik... hiermee klaar ben,' zei Grissom, terwijl hij naast de platte voorband van de truck knielde en met een spuitbus een felgroene verticale lijn van de geroeste naaf tot de grond trok, en vervolgens in een hoek van negentig graden een streep naar buiten van nog zo'n dertig centimeter door het zand.
Daarna plaatste hij drie zelfklevende witte stippen van zevenenhalve centimeter doorsnede – kleinere versies van de fotolocatiestippen op de rode verkeerskegels, met daarop een identiek raster van dikke en dunne referentielijnen en vormen – in een willekeurige driehoek op de rechterbuitenkant van de cabine en het chassis, en zette er achtereenvolgens met een dikke viltstift *1*, *2* en *3* op.
Ten slotte bevestigde hij een soortgelijke, felgele fotolocatiestip precies in het midden van de wielnaaf en zette daar met de viltstift *R-F* op.
'Oké, nu de andere drie.'
Nadat hij tot zijn tevredenheid had gezien dat Brass, Warrick, Nick, Sara en Greg samen met de vijf undercovers druk bezig waren de verkeerskegels paarsgewijs op hun plek te zetten, ging Grissom om de hele truck heen. Hij spoot drie identieke referentielijnen op de overgebleven drie platte banden en plakte willekeurige

driehoeken met drie witte fotolocatiestippen boven op en onder de cabine, op de motorkap en achterop, links, op de zijkanten aan de voorkant van de truckcabine en het chassis, samen met de drie felgele fotolocatiestippen op de andere drie wielnaven, en zette er met de viltstift een cijfer of letter op.

De witte stippen waren uniek en zichtbaar gemarkeerd als fotolocaties 1 tot en met 18, en de gele stippen duidden keurig de vier – rechts, links, voor en achter – wielnaven aan.

'Ongelooflijk dat je aan de voorkant nog genoeg ruimte zonder kogelgaten kon vinden,' zei Catherine, terwijl ze verbijsterd haar hoofd schudde bij de schade die de inslag van de projectielen op de truckgrille had aangericht. Ze zag hoe Grissom aarzelde en toen aan weerskanten van de geroeste voorbumper de laatste twee witte fotolocatiestippen plakte. 'Om hoeveel vuurwapens gaat het?'

'Ik zag er twee tegen hun truck staan, allebei uitgerust met extra grote patroonhouders, en een die leek op een M4 karabijn met een houder voor dertig kogels,' antwoordde Grissom. Hij onderzocht met zijn zaklamp de grond onder het motorblok, waar hij talloze vernielde of platgeslagen loodkorrels zag liggen.

'Met al die kogelinslagen wordt het behoorlijk moeilijk om het individuele schootspatroon in kaart te brengen en vervolgens een tijdlijn vast te stellen,' zei Catherine.

Grissom gromde instemmend.

'Je weet dat Greg het heerlijk vindt om eindeloos met zo'n soort puzzel bezig te zijn, hè?' suggereerde Catherine zogenaamd achteloos, alsof het haar werkelijk niets uitmaakte wie de geestdodende inslagpatroonreconstructie zou moeten doen.

'O ja?' Grissom keek naar zijn senior rechercheur.

'Misschien heb ik het mis, maar dit hier is een staaltje van pure karaktervorming, en Greg kan op dat gebied zeker wel wat hulp gebruiken... Misschien brengt het een extra nuancering aan tussen cool en eigenwijs,' voegde Catherine er met een deels plagerige, deels hoopvolle grijns aan toe.

Grissom aarzelde. Hij wist uit jaren ervaring hoe moeilijk het al was om dit soort puzzels, de identificatie van meervoudige schiet- en

overlappingspatronen, op te lossen en in de juiste volgorde te zetten wanneer slechts drie of vier geweerkogels op een enkel doelwit waren afgevuurd. Tot nu toe had hij al zeven lege geweerkogelhulzen geteld en er konden er met gemak nog drie tot vijf zijn die hij nog niet had gevonden, afhankelijk van hoe de geweren geladen waren geweest. Hij vroeg zich af of het überhaupt wel mogelijk was om de patronen uit te zoeken en te rangschikken, die door vierentachtig afzonderlijke hagelgeweerkogels – laat staan honderdvierenveertig – op zo'n klein inslaggebied waren ontstaan.
Greg is briljant, maar ik weet niet zeker of hij voor zoiets al echt klaar is, mijmerde hij.
Het geluid van een andere naderende auto trok de aandacht van Grissom en Catherine.
'Zo te zien is Phillips er,' zei Catherine met een hoofdbeweging in de richting van de bestelbus van de lijkschouwer.
'Mooi,' antwoordde Grissom. 'Hem hebben we nodig om dat lichaam uit de truck te halen voordat we met de reconstructie kunnen beginnen, maar dat moeten we wel heel voorzichtig doen.' Hij stond langzaam op, kromp ineen toen zijn lang gemartelde knieën protesteerden, en keek met een tevreden glimlach om zich heen. 'Oké, ik ga de cabine aan de bestuurderskant controleren.'
Terwijl Catherine geduldig wachtte, werkte Grissom langzaam naar de bestuurderskant van de truck toe. Hij stopte daar halverwege, onderzocht de grond in een cirkel van een ruime anderhalve meter rondom zijn voeten en richtte zijn zaklamp door het gedeeltelijk weggeblazen zijraam en in de met bloedspatten bezaaide cabine.
Bijna een halve minuut zei Grissom niets; hij had een peinzende uitdrukking op zijn gezicht.
'Zie je iets?' vroeg Catherine ten slotte.
'Ja,' bevestigde Grissom. De flakkerende straal van zijn zaklantaarn verlichtte de bebloede roestvrijstalen hammerless revolver die nauwelijks zichtbaar onder de passagiersstoel lag.
'En?'
'Hoe onwaarschijnlijk het op dit moment ook mag lijken… ik

denk dat onze reconstructieklus net een beetje ingewikkelder is geworden,' antwoordde Grissom met een zucht.

Assistent-lijkschouwer David Phillips en zijn technisch onderzoeker annex chauffeur van het lijkenhuis stonden bij de geopende achterdeur van de duidelijk herkenbare bestelbus van de patholoog-anatoom ontspannen met de andere vier technisch rechercheurs te praten, toen Grissom en Catherine ten slotte weer onder het afzetlint door doken en terugliepen.
Toen de twee senior rechercheurs de wachtende groep naderden, merkten ze goedkeurend op dat de vijf undercovers weer in hun kampeerstoelen zaten – op steeds ongeveer twee meter afstand van elkaar – onder de waakzame blik van de geüniformeerde patrouilleagent.
'David, fijn dat je er bent,' zei Grissom, oprecht blij om de vakkundige en hardwerkende lijkschouwer te zien.
'Ik begrijp dat jullie hier nogal een smerig zaakje bij de hand hebben,' merkte Phillips op. 'Kunnen we al aan de slag?'
'Bijna,' antwoordde Grissom terwijl hij naar Warrick en Nick knikte, die ieder met een compleet verschillende set onderzoeksapparatuur naast elkaar stonden. 'Warrick en Nick moeten eerst nog het gebied stabiliseren en vastleggen.'
Warrick had geen nadere instructies nodig en liep met een zwaar statief in zijn ene hand en een zwarte Pelican-koffer van dertig vierkante centimeter in de andere naar het met tape afgezette deel van het terrein dat zich recht tegenover de rechter truckdeur bevond. Hij knielde in het zand, verankerde het statief ongeveer een meter buiten het afzetlint met een aantal vijf tot tien kilo zware stenen die hij in de buurt al had verzameld, en daar had neergelegd om de drie aan de onderkant met elkaar verbonden poten stevig op hun plek te zetten.
'Nog voorkeuren?' vroeg Nick terwijl hij met één hand een metalen pen van anderhalve meter omhoogstak en met de andere een moker van tien kilo.
'Ik denk dat voor de truck, net binnen het afzetlint, prima is,' op-

perde Grissom schouderophalend. 'Daar lijkt de grond me redelijk stevig.'
'Prima,' antwoordde Nick. Hij liep naar het afzetlint, dook eronderdoor, plantte de scherpe punt van de pen in de grond en gaf er met de moker een paar lichte klappen op om de staak min of meer rechtop te houden. Toen begon hij met zwoegende uithalen van de zware hamer de pen de grond in te werken, totdat nog maar een kleine negentig centimeter van de stevige, centimeter-dikke stalen pen boven de grond uitstak.
Nadat hij met zijn handschoen tegen de bovenkant van de pen had getikt om te controleren of die nog bewoog, en tevreden knikte, schreef Nick met een dikke watervaste viltstift een *X* op de lichtelijk beschadigde kop van de pen en liep vervolgens terug naar de groep.
'Onze triple-zero staat,' zei Nick terwijl hij de moker achter in zijn SUV teruglegde. Vervolgens pakte hij een tweede, identiek statief en Pelican-koffer, alsmede een plastic draagkoker van een meter tachtig bij vijf centimeter. 'En die haring gaat nergens meer naartoe.'
Terwijl de groep bij de bestelbus van de lijkschouwer geduldig wachtend toekeek, hielp Warrick Nick bij het neerzetten en verankeren van de tweede driepoot aan de overkant van het afgezette terrein, recht tegenover de linkerdeur van de truck. De twee technisch rechercheurs haalden een paar multifunctionele draaibare laserkoppen uit de Pelican-koffers en zetten die met behulp van het ingebouwde peilglas zorgvuldig waterpas boven op het platte vlak van beide statieven – die nu tot zo'n anderhalve meter boven de grond waren uitgeschoven.
'Klopt hij aan jouw kant?' vroeg Warrick.
'Tot op het luchtbelletje,' antwoordde Nick.
'Oké,' zei Warrick, 'tijd voor een beetje goochelen met de computer.'
Ze liepen naar de motorkap van de eerste patrouillewagen, waar Warrick een laptop opende en het eerste onderzoeksprogramma voor de plaats delict startte. Intussen trok Nick langzaam een aluminium staaf met een afmeting van één meter tachtig bij tweeënhalve centimeter uit de plastic koker. De staaf had aan één kant een

taps toelopende, ijspriemachtige punt en aan de andere kant een veelzijdige ontvanger/reflector.
Nadat hij de ontvanger/reflector aan de ene kant van de staaf had verbonden aan een zakcomputer, plaatste Nick de punt precies in het midden van de *X* die hij op de kop van de ingeslagen pen had getekend en keek op het kleine pc-scherm of de staafontvanger een signaal van de beide roterende lasers oppikte.
'Computer bevestigt onze triple-zero en wacht op gegevens,' kondigde Nick aan.
In zichzelf neuriënd liep hij langzaam naar de linkerkant van de truck, plaatste de punt precies in het midden van de witte fotolocatiestip met een *1* erop, bewoog de bovenkant van de staaf in de lucht rond – terwijl hij de punt stevig midden op de locatiestip hield – tot de zakcomputer bevestigde dat beide roterende lasers waren gevonden.
'Wat is hij aan het doen?' vroeg Phillips aan Grissom, nieuwsgierig omdat hij nog nooit een van de technisch rechercheurs deze specifieke locatieapparatuur op een plaats delict had zien gebruiken.
'De punt en de ontvanger aan weerskanten van die staaf en de positie van de twee roterende lasers brengen een paar onderling verbonden driehoeken samen met één gemeenschappelijke zijde – de staaf zelf – waardoor we een uitermate accurate driedimensionale positie van de aanwijspunt krijgen ten opzichte van de top van die stok die Nick in de grond heeft geslagen. Dat is nu ons zero-zero-zero referentiepunt,' legde Grissom uit, als altijd blij dat hij iets meer wetenschappelijke details kon geven dan zijn vragensteller eigenlijk wilde.
'Maar stel dat de top van de stok gaat wiebelen?' vroeg Phillips nietbegrijpend.
'Dat doet er eigenlijk niet toe. Sterker nog, we weten dat die gaat bewegen,' zei Catherine. 'Zolang de aanwijspunt maar op precies dezelfde plek blijft, kan de ontvanger op de stok zich vrijelijk rondom elke locatie bewegen, waar hij een signaal van beide lasers kan oppikken. Het maakt niet uit naar welke kant hij beweegt, de staaf zelf vormt nieuwe – maar nog altijd kruiselings verbonden – drie-

hoeksparen met één gemeenschappelijke zijde, waarmee de ontvanger de positie van de aanwijspunt calculeert. En zolang de ontvanger een signaal van beide lasers oppikt, zal hij dat precies aan Nicks zakcomputer doorgeven.'
'Wauw. Cool,' fluisterde Phillips. Toen knipperde hij opnieuw verward met zijn ogen. 'Maar waarom doen jullie dat eigenlijk?'
'We moeten uitzoeken waar die truck precies stond, driedimensionaal, op de momenten dat een van onze schutters de trekker van zijn vuurwapen overhaalde,' zei Grissom. 'En als dat lukt, zijn we misschien in staat om de volgorde te bepalen van wie wanneer heeft geschoten en wat ze hebben geraakt, en – heel belangrijk – of dat specifieke schot terecht was.'
'Zijn jullie daar echt toe in staat?' Phillips was duidelijk onder de indruk.
'Nee, maar Warrick wel met behulp van zijn plaats-delictreconstructieprogramma's, nadat hij alle gegevens van onze digitale plaatsbepaler, foto en laserscanners heeft ingevoerd,' antwoordde Grissom. 'Natuurlijk zou het uitwerken van al die details voor hem en Nick een stuk makkelijker zijn als het terrein waarop de truck en de schutters opereerden een platte vlakte was geweest. Maar zoals je ziet...' Grissom gebaarde naar het grillige landschap '... was dat niet zo... en is dat niet zo.'
'En het was bovendien heel wat eenvoudiger geweest als de banden niet onmiddellijk lek gingen – waardoor de driedimensionale positie van de truck significant werd veranderd – toen ze een voor een werden geraakt, maar dat gebeurde wel,' legde Sara uit.
'En het zou nog makkelijker zijn geweest als we snel elk vuurwapenpatroon met de .12 kaliber hagelschoten van een ander patroon zouden kunnen onderscheiden op de plek waar ze elkaar overlappen, waarmee we de afstanden zouden kunnen bepalen, maar Greg zal daar nog wel even mee bezig zijn voordat hij daarachter is,' besloot Grissom.
'Ík?' De jonge rechercheur was overdonderd.
'Ik kan je verzekeren dat het een onvergetelijke ervaring is,' beloofde Catherine glimlachend.

'En terwijl Greg daarmee bezig is,' vervolgde Grissom, alsof Greg en Catherine helemaal niets hadden gezegd, 'moeten we de rest van het werk onderling verdelen. Sara gaat alle vuurwapens testen. Catherine verzamelt de kruitsporenbewijzen van het hele voertuig. Warrick moet van alle kanten een serie foto's van de truck maken en Nick gaat met de op zijn bestelbusje bevestigde hoogwerker en laserscanner een set 3D-beelden van het hele tafereel maken. En ik verzamel...'

Grissom werd onderbroken door gekraak op de radio die Brass in zijn handen had.

'Air One voor Brass.'

'Hier Brass, ga je gang.'

'Geen fijn nieuws, jongens, maar het ziet ernaar uit dat hierboven nog meer lichamen liggen.'

Brass, Phillips, de technicus van de lijkschouwer en de zes technisch rechercheurs draaiden hun hoofd naar het westen en staarden omhoog naar de Sheep Range, waar de beide knipperende helikopters nu rondcirkelden.

Een wanhopige en gefrustreerde blik trok over Grissoms gezicht toen hij zijn hand naar Brass uitstak. 'Mag ik even?'

Brass gaf Grissom de radio.

'CSI-chef Grissom voor Air One. Zei je "lichamen" – meervoud?'

'Ja, sir, dat is juist,' antwoordde de piloot van de politiehelikopter prompt. 'Moeten we u komen oppikken?'

'Ja,' zei Grissom in de radiomicrofoon terwijl hij, Brass en de andere rechercheurs elkaar aankeken. 'Haal ons nu op, alsjeblieft.' Grissom keek om zich heen over het complexe terrein waarop zijn hele team een paar uur met de reconstructie bezig zou zijn. Dat was althans het plan geweest. Maar nu was het een stuk ingewikkelder geworden... Alweer.

6

'Kun je ze zien?' vroeg de piloot terwijl hij de omliggende bergrichels en rotsmassa's goed in de gaten hield en de reddingshelikopter van de politie stabiel hield. Hij hing dertig meter boven de open plek terwijl Grissom – die naast de copiloot zat en een passagiershelm met communicatiesysteem droeg – door de afgeschermde lenzen van de warmtekijker tuurde.
'Ja,' antwoordde Grissom. 'Alleen lijkt eentje niet erg op een mens.'
'Kan een hert of schaap zijn,' antwoordde de piloot. 'In dit gebergte zie je een hoop wilde dieren: herten, dikhoornschapen, coyotes, zo nu en dan zelfs een poema.'
'Een poema?' Jim Brass zette grote ogen op.
'Maak je geen zorgen, zo hoog zul je de grote kat niet gauw tegenkomen, en zeker niet in deze tijd van het jaar,' verzekerde de piloot hem.
Brass keek de helikopterpiloot wantrouwend aan en sprak toen tegen Grissom via zijn helmmicrofoon. 'Gil, klinkt die vent hier jou als een gedragsexpert van poema's in de oren?'
'Niet bepaald wat ik een expert zou noemen, maar je hoeft geen wetenschapper te zijn om bruikbare observaties te kunnen maken,' wees Grissom hem met een grimas terecht. Hij waagde liever een gok met de plaatselijke wilde dieren op de grond dan nog veel langer in het bonkende en trillende luchtvaartuig te moeten blijven. Hij was bepaald niet dol op helikopters en begon al last van luchtziekte te krijgen.
'Kunnen we al naar beneden om de zaak van dichtbij te bekijken?' vroeg de piloot.
'Denk je dat je ons veilig op die open plek kunt neerzetten?' vroeg Brass, zich maar al te goed bewust van de nabijheid van een paar miljoen ton massief graniet. 'Zo te zien heb je daar niet veel manoeuvreerruimte.'

'Geen zorgen, kapitein, ik krijg jullie echt helemaal heel op de grond, hoe dan ook. Maar het kan zijn dat ik jullie een eindje verderop moet neerzetten, of ergens op een richel, of misschien zelfs met een touw moet laten zakken, als we geen open ruimte vinden die groot genoeg is,' voegde de helikopterpiloot eraan toe.
'Schitterend,' gromde Brass. 'Hebben die verdomde poema's nog meer tijd om ons te zien aankomen.'
'Maak je niet druk, Jim,' adviseerde Grissom hem, dankbaar dat hij van zijn beroerde maag werd afgeleid, 'ik weet zeker dat ze nu allemaal wel weten dat we er zijn.'
Brass mompelde iets onverstaanbaars.
Twee minuten later zette de piloot de glijders van de McDonnell Douglas MD500 helikopter op het breedste oppervlak dat ze op de open plek konden vinden – ongeveer vijftig meter vanaf het punt waar de twee lichamen op de warmtescanner te zien waren geweest. Vlakbij waren een paar grote zwerfkeien, dus hij hield het grommende luchtvaartuig strak onder controle en de rotoren op een gestaag toerental – maar zonder hefkracht – terwijl Grissom en Brass uit hun respectievelijke bemannings- en cabinedeuren klauterden en gebukt naar een veilige plek renden.
De piloot wachtte even, terwijl zijn boordtechnicus snel van de achterbank naar zijn normale voorstoel overwipte voor hij het radiocontact met de twee onderzoekers herstelde.
'Ik stijg weer naar dertig meter boven het terrein en zal de zaak met het zoeklicht bijlichten, terwijl de DEA-helikopter een wijdere zoekvlucht met de warmtekijker uitvoert,' zei de piloot terwijl hij langzaam en voorzichtig het behendige luchtvaartuig weer de ijle en koele lucht in bracht. 'Laat het me weten als we met de neerwaartse trek te dicht in de buurt komen.'
'Doen we,' zei Brass afwezig. Hij trok zijn semiautomatisch pistool en zwaaide nerveus met zijn zaklamp over de rotsen in de buurt.
'Hij had gelijk, weet je,' zei Grissom terwijl hij zijn zware CSI-koffer oppakte en met zijn eigen zaklamp zich een weg baande naar de lichamen verderop. 'Het is echt behoorlijk laat in het seizoen voor poema's, dan komen ze niet zo hoog in de bergen. En zeker niet

wanneer het aan de voet van de heuvels een stuk warmer is en er meer dan genoeg konijnen en herten zijn om op te peuzelen.'
'Ja, maar er is altijd één snuiter die de uitzonderingsregel bevestigt,' kaatste Brass terug met zijn pistool in de aanslag. Hij bleef het omliggende terrein met zijn zaklamp afzoeken en volgde Grissoms weifelende voetstappen. 'Als iemand dat zou moeten herkennen dan ben jij het wel.'
'Moet ik dat als een compliment opvatten?'
'Eh, nee, waarschijnlijk niet,' gaf Brass toe terwijl hij langzaam zijn lichaam en zaklamp 360 graden draaide en zorgvuldig rondkeek naar een eerste teken van een rondsluipende wilde kat.
Vier lange minuten later stonden Grissom en Brass eindelijk aan weerskanten van een duur gekleed, zwaarlijvig mannenlichaam dat met zijn gezicht omlaag languit op de rotsrichel lag. De politiehelikopter boven hen lichtte het tafereel goed bij, maar de krachtige zoekstraal veroorzaakte ook donkere en verhullende schaduwen.
Vanwege de voortdurend wisselende lichtinval hielden beide mannen hun zaklampen aan terwijl ze het gestolde bloed op de grond rond het bovenlichaam onderzochten, evenals het peperdure, met geluiddemper en nachtvizier uitgeruste en met bloed bespatte jachtgeweer dat een meter verderop op de rotsen lag.
'Interessant,' zei Brass op neutrale toon. Hij keek toe terwijl Grissom neerknielde en met brede, felgroen fluorescerende verfstrepen uit een spuitbus de positie van het lichaam en het geweer markeerde.
'Laat me raden,' zei Grissom terwijl hij overeind kwam en de spuitbus in zijn jack terugstopte. 'Zou het kunnen dat deze vent met een soort automatisch vuurwapen een paar schoten had gelost, vlak voordat een andere kerel, die gewapend was met een geweer met geluiddemper, hem neerschoot, de wapens heeft omgewisseld en de berg af is gevlucht... wat de schoten zou verklaren die de undercovers hebben gehoord, evenals de man die in de grote SUV is weggereden?'
'Dat dacht ik ook tot ik al dat bloed op en rondom dat geweer zag,'

gaf Brass toe. 'Volgens mij lijken de bloedsporenpatronen op elkaar, maar ik ben geen deskundige.'
'Mij lijkt het ook één duidelijk bloedsporenpatroon,' stemde Grissom in, 'wat zonder meer de mogelijkheid uitsluit dat de wapens zijn verwisseld, als het 't bloed van het slachtoffer was ten tijde van de inslag. Maar dat lijkt me een beetje raar, want zo'n verspreid bloedpatroon zou je verwachten bij een kogel die helemaal door en door is gegaan, zodat er een uittredewond ontstaat, en geen kogel met een ingangswond door een dik ski-jack dat de bloedspetters tegenhoudt.'
Grissom bewoog het brandpunt van zijn zaklamp in een trage boog over de rotsachtige ondergrond om het hele lichaam heen, en herhaalde die handeling nog eens op een kleine meter afstand van het lichaam.
'Dit alles lijkt er natuurlijk op,' vervolgde hij, 'dat deze kerel is neergeschoten en niet neergestoken of de keel doorgesneden, en dat de kogel nog in het lichaam zit. Maar als hij met een automatisch wapen is beschoten, had ik hier absoluut heel wat meer bloed verwacht... en dat zie ik niet.'
'Dus we hebben het hierboven over minstens één andere schutter, gewapend met een pistool of geweer waarmee je één schot kunt afvuren, wellicht met inbegrip van onze man in de truck?'
'Dat is absoluut een mogelijkheid,' zei Grissom. 'Denk je dat dit slachtoffer wellicht Ricardo Paz Lamos is en niet die vent in de truck?'
'Als de twee doden met elkaar in verband staan, zou dat een paar dingen daarbeneden verklaren,' erkende Brass, 'maar wat ik er zo van zie, en zonder een duidelijke identificatie, lijkt die kerel hier me geen hispanic. Aan zijn gezicht te zien lijkt hij me eerder mediterraan... misschien Italiaans.'
'En hij ziet er ook niet uit als een drugsdealer,' voegde Grissom eraan toe. 'Hoewel ik niet vermoed dat er een soort algemeen aanvaarde dresscode bestaat.'
'Waarschijnlijk niet voor drugsdealers,' stemde Brass in, 'maar je zou verbaasd staan hoeveel geld sommige mensen aan hun jachtuitrusting spenderen.'

'Inclusief nachtkijkers en geluiddempers? Dat klinkt niet erg sportief... of legaal.'

'Geen van beide, maar ik geloof niet echt dat je je druk maakt over zulke futiele details als je midden in de winter door de bergen dwaalt op zoek naar de Nevada-jachtversie van de heilige graal.'

'De heilige graal?' Grissom fronste verward zijn voorhoofd.

'Woestijndikhoornschapen,' legde Brass uit. 'Die zijn snel aan het uitsterven, dus de werkelijk toegewijde trofeeënjagers – degenen die tot het gaatje gaan om hun grote slag te slaan voordat het niet meer kan – zouden met hun apparatuur wel eens compleet kunnen uitpakken... een totaal ongelijke strijd.'

Grissom knikte begrijpend terwijl hij op zijn hurken ging zitten om het lichaam en geweer aan een nader onderzoek te onderwerpen. 'Zoals de laatste snufjes op het gebied van nachtkijkers, automatische precisiegeluiddemper, dure winterlaarzen, een camouflagejack en -broek, en zo te zien een heel duur jachtgeweer dat met zilver is ingegraveerd met de initialen...'

Grissom richtte de lichtstraal van zijn zaklamp op de glinsterende patroonhouder van het geweer, knipperde verrast met zijn ogen en keek toen met een geamuseerde uitdrukking op zijn gezicht naar Brass omhoog '... *E.T.*'

'Dat is gewoon... griezelig,' zei Brass met een vreemde ondertoon in zijn stem, waarna hij met zijn zaklamp het omliggende terrein verder onderzocht.

Grissom stond op en zwaaide langzaam met zijn lichtstraal tussen het geweer en het op zijn buik liggende lijk heen en weer. 'Weet je, dit zóú een heel interessante ontbijtpresentatie kunnen zijn tijdens de bijeenkomst van de American Academy of Forensic Sciences,' zei hij bedachtzaam terwijl hij zijn CSI-kit opende en zijn digitale camera in elkaar zette.

'Een bloedstollende show tijdens het ontbíjt? Doen jullie dat nog steeds tijdens die bijeenkomsten?' vroeg Brass. Hij stopte werktuigelijk zijn pistool in de holster en was met zijn gedachten duidelijk ergens anders.

'Sterker nog, de ontbijtseminars zijn al van oudsher een traditie,' erkende Grissom. 'Het is min of meer een eer om die te mogen presenteren.'
'Dat zal wel, ja.'
'Ik moet echt mijn best doen om met iets geschikts op de proppen te komen,' vervolgde Grissom, Brass negerend. 'En hoe meer foto's hoe beter, uiteraard,' voegde hij eraan toe terwijl hij op zijn knieën ging zitten en een paar close-upfoto's maakte van de geweerinscriptie en daarna snel de belichting aanpaste.
Brass liep doelbewust naar het midden van de open plek, intussen met zijn zaklamp de grond voor zijn voeten onderzoekend op sporen van bewijs, en liep toen door.
Grissom stond op en wilde achter hem de open plek oversteken, nieuwsgierig naar wat zijn ex-baas van de dreigende, rondsluipende poema's had afgeleid. Hij had nog maar een paar stappen gedaan, toen hij plotseling bedacht dat te veel foto's altijd beter was dan te weinig.
In een soepele, ogenschijnlijk instinctieve beweging bleef Grissom staan, maakte een draai van honderdtachtig graden, schoot snel een overzichtsfoto van de plek waar het lichaam en het geweer lagen, draaide zich weer om en haastte zich om Brass in te halen.

Verbijsterd door de gebeurtenissen van de afgelopen tien minuten bleef Viktor Mialkovsky bewegingsloos zitten onder de beschermende dekmantel die werd gevormd door de overhangende jeneverbesstruik, de omliggende rotsen en zwerfkeien, en zijn warmtecamouflagedeken, terwijl hij in de kruisdraden van de kalm opflakkerende nachtkijkerlens de twee mannen langs hem heen zag lopen – op een bepaald moment nog geen twintig meter bij hem vandaan – naar het midden van de open plek waar hij zo uitgebreid de dingen naar zijn hand had gezet.
Mialkovsky kon zijn ogen nauwelijks geloven, en zijn oren nog minder.
Het hielp ook niet veel dat zijn netvliezen zich nog altijd probeerden te herstellen van de verblindende groene lichtflits die even in

zijn nachtkijker was opgevlamd en zijn ogen had verschroeid, doordat Grissom zich plotseling omdraaide en met een oogverblindend flitslicht een overzichtsfoto maakte. De geconcentreerde en onverwachte explosie van intens wit licht had de extreem gevoelige fotoreceptoren van de bril op Mialkovsky's neus overweldigd, evenals die van het geweervizier dat hij op het punt stond aan zijn oog te zetten, receptoren die speciaal ontworpen waren om bij de kleinste hoeveelheid licht te kunnen opereren. Hij had ongelooflijk veel geluk gehad dat zijn nachtzichtapparatuur de onverwachte aanval had overleefd. Hij had vroeger meegemaakt dat op die manier mishandelde 'sterrenkijker'-modellen bijna altijd uitdoofden tot voor eeuwig onbruikbare klompen aluminium en glas, terwijl hun eigenaars blind en kwetsbaar in de door sterren verlichte duisternis achterbleven.

En dat, wist Mialkovsky, kon hij zich op dit moment niet veroorloven. Een blindelingse afdaling langs zijn ijskoude bittere-eindevluchtroute, in het volslagen donker en ook nog tijdens iets wat een angstaanjagende winterstorm beloofde te worden, zou niet alleen maar lastig zijn.

Dat was zelfmoord.

Maar jij was degene die die opmerking over dat ontbijtseminar maakte, Grissom: een misdadiger heeft ook wel eens geluk, dacht Mialkovsky met een afgemeten glimlachje. Ironisch dat van alle technische-politierechercheurs die uit die helikopter hadden kunnen stappen, uitgerekend jij dat moest zijn. Had ik het niet gedacht.

Maar pas echt ironisch vond Mialkovsky de timing van de gebeurtenissen van het laatste halfuur.

De plotselinge komst van de politiehelikopter vlak boven de open plek, gevolgd door de komst van de veel ruimer cirkelende Black Hawk, had hem op het moment dat hij wilde ontsnappen op zijn plek vastgenageld. Dus had hij geen andere keus gehad dan te zitten kijken en luisteren terwijl Grissom en zijn metgezel doorgingen met hun haastige onderzoek van het lijk dat zijn doelwit was geweest.

En door Grissoms opmerking over de aloude traditie van de American Academy of Forensic Sciences betreffende de 'bijtende ontbijten' was Mialkovsky bijna hardop in lachen uitgebarsten, waarmee hij zijn aanwezigheid zou hebben verraden aan de twee afgeleide en geen achterdocht koesterende onderzoekers, die ongetwijfeld dachten dat ze alleen waren op dit zeventienhonderd meter hoge bergplateau.
Het zou een ongelooflijke blunder van hem zijn geweest, want dan zou er niets anders op hebben gezeten dan de twee rechercheurs onmiddellijk te doden, zo snel mogelijk proberen de politiehelikopter neer te halen of onklaar te maken, en vervolgens een wanhopige run op zijn ontsnappingsroute te doen, voordat de bemanning in de rondcirkelende Black Hawk in de gaten had wat er aan de hand was en een overweldigende overmacht aan versterkingen zou oproepen.
Ik vraag me af welke prijs er op jouw hoofd staat, Grissom?
Mialkovsky stelde de kruisdraden van zijn nog naar een balans zoekende telescoopvizier scherp op het hoofd van de CSI-chef. Waarschijnlijk een enorm bedrag, maar wie had het lef om daartoe de opdracht te geven, in de wetenschap dat de andere CSI- teamleden tot in het oneindige naar de moordenaar zouden blijven doorzoeken... of naar degenen die de zaak in gang hadden gezet.
De gedachte dat hij bij zijn collega's bekend zou staan als de enige huurmoordenaar die de brutaliteit had om de internationaal vermaarde Gil Grissom met een enkel schot om te leggen, en er in zou slagen om aan de daaropvolgende klopjacht van een legertje wraakzuchtige technisch rechercheurs en forensisch wetenschappers te ontkomen, sprak Mialkovsky op een merkwaardig verknipte, *special operations*-achtige manier wel aan.
Maar hij was niet van plan toe te geven aan de macho-impulsen die ooit de motor waren geweest achter zijn gewelddadigste, gevaarlijkste en succesvolste missies. Die puberale vlagen van waanzin was hij allang ontgroeid. Althans, daar ging hij van uit.
In werkelijkheid wist Viktor het eigenlijk niet, en het maakte hem ook niet veel uit.

Maar één ding wist hij wel zeker: een spelletje spelen met een slimme en vindingrijke technisch rechercheur als Gil Grissom was pas echt een waagstuk. En ook al had hij gezworen het niet te doen, hij had het Clark County-contract toch aangenomen, want het geld was niet te versmaden geweest...

Hoelang is het geleden, Grissom? Mialkovsky probeerde het zich te herinneren. Zes, zeven jaar sinds jij en ik aan die tafel in San Antonio zaten te luisteren naar die geschifte forensische wilde-dierenwetenschapper die maar doorbazelde over veldlijkschouwingen en rottende walrussen? Zou je me nog herkennen?

Mialkovsky geloofde eigenlijk van niet, want jaren geleden was hij keurig verzorgd geweest en had hij zijn zaakjes goed voor elkaar in zijn Army Ranger-uniform – een forensisch onderzoeker uit het leger die meer te weten wilde komen over gerechtelijk onderzoek en een paar praktische adviezen wilde oppikken, net als de overige tweeduizend en nog wat congresbezoekers.

Dus dat is wat ik hier vanavond ga doen, Grissom, zei de jagerdoder tegen zichzelf terwijl hij de technisch rechercheur met de kruisdraden in zijn vizier in het oog hield: kijken hoe jij deze plek benadert... en een paar praktische adviezen oppikken voor ik vertrek. Eerlijk is tenslotte eerlijk.

'En hier is het hert dat je door de warmtekijker zag,' zei Brass terwijl hij het gestrekt liggende dier met zijn zaklantaarn verlichtte.

Grissom kwam naast hem staan. 'Of mr. E.T.'s hert, afhankelijk van hoe je het bekijkt.'

Grissom knielde naast het karkas neer, onderzocht het kortstondig en keek toen naar Brass. 'Het is neergeschoten,' zei hij.

'Dat gebeurt meestal bij stropen.'

'Maar te zien aan het bloedspatpatroon kwam het schot ergens daarvandaan.' Grissom wees achter de open plek. 'Het is door de keel van het hert gescheurd en heeft zijn weg in die richting vervolgd,' besloot hij terwijl hij met zijn gehandschoende hand terugwees naar het menselijk lijk. 'Wat erop zou kunnen duiden...'

'Een jachtongeluk?'

'Het lijkt in elk geval op een jachtongeluk,' zei Grissom. 'Of, als je kijkt naar het hightechgeweer dat waarschijnlijk van ons slachtoffer is en niet van de schutter, zou dan "stropersongeval" niet een betere omschrijving zijn?'

Brass keek sceptisch. 'Ik geloof niet dat ik ooit van een "stropersongeval" heb gehoord,' zei hij. 'Ik heb altijd gedacht dat kerels die dat soort dingen doen einzelgängers waren. Wat ik niet begrijp is hoe een jager of stroper op een hert richt, het doodt en met dezelfde kogel de enige andere vent op de hele berg weet te raken en te doden. De kans dat zoiets in het echte leven gebeurt zou ongelooflijk... ik weet het niet... hoe klein zijn?'

'Wacht eens even,' zei Grissom terwijl hij op zijn hurken ging zitten en het hertenkarkas, de bloedspetters en het verder gelegen menselijk lichaam in één lijn bracht. Toen haalde hij opnieuw de spuitbus met fluorescerende groene verf tevoorschijn, omlijnde met vier lange strepen snel de positie van het hert... en trok vervolgens een felgroene lijn ongeveer drie meter in tegengestelde richting bij het hert vandaan en begon op zijn hurken die kant op te lopen.

'Denk je werkelijk dat je daar iets zult vinden?' riep Brass naar hem. Hij zag Grissom ruim vijftig meter het donker in lopen, met zijn zaklantaarn voor zijn voeten zwaaiend, en toen plotseling op zijn knieën gaan zitten.

Even later het geluid van een spuitbus en daarna een fel flitslicht dat kort het terrein waar Grissom geknield zat verlichtte: Brass had het antwoord op zijn vraag.

'En?' riep hij toen Grissom met een grimmige glimlach op zijn gezicht naar het hert terugliep.

'Een gebruikte .308 Winchester geweerhuls die daar nog niet lang ligt.' Grissom hield een stuk van een houten verbindingsbus van vijftien centimeter omhoog met aan het uiteinde een glanzend koperen omhulsel. 'Daar verderop heeft een jager – of een stroper – languit op de uitkijk gelegen en zijn schot afgewacht.'

Brass tuitte zijn lippen, duidelijk niet overtuigd.

'Twee stropers, onafhankelijk van elkaar aan het werk in hetzelfde godverlaten gedeelte van het ontoegankelijke gebergte midden in een federaal wildreservaat, midden in de nacht, ook nog midden in de winter, met een dreigende storm op komst. En geen van hen had in de gaten dat de ander er was? En één kerel wordt uiteindelijk gedood omdat de andere besluit op een ondervoed muildierhert te schieten in plaats van op iets wat werkelijk die honderdvijftig tot tweehonderd meter hoge klim waard is geweest? Probeer je me dat te vertellen?'

'Ik probeer je duidelijk te maken wat ik dénk dat het bewijs betekent,' zei Grissom geduldig. 'Eén geweerkogel scheurt door de nek van een hert, daardoor zet de punt uit vóór die het slachtoffer raakt, wat verklaart dat het bloedspatpatroon op het geweer van het slachtoffer door een ingangswond werd veroorzaakt, in plaats van een ogenschijnlijk niet aanwezige uittredewond.'

Brass wilde wat zeggen maar aarzelde.

'Je zegt dus dat het feit dat de bij een mens aanwezige uittredewond van een .308 geweerkogel kan worden verklaard doordat de kogel eerst het hert raakte en vervolgens door die inslag en de uitgezette punt werd afgeremd voordat hij het menselijke slachtoffer raakte?'

Jim Brass leek pijnlijk in tweestrijd te staan bij de twee informatiebronnen waarop hij normaal gesproken blindelings vertrouwde: Gil Grissoms interpretatie van fysiek bewijs en zijn eigen gevoel.

'Dat zou kloppen met wat we hier zien,' stemde Grissom in. 'Gebaseerd op het tot nu toe gevonden bewijs lijkt het erop dat hier minstens twee stropers waren die een van de laatste dikhoornschapen ter wereld om zeep probeerden te helpen. Iemand besloot dit hert op de korrel te nemen, om welke reden dan ook, en schoot per ongeluk zijn jachtmaatje dood... of zijn stropersmaatje... of misschien was het een volslagen vreemde die toevallig op het verkeerde moment op de verkeerde plek was, wat nog steeds zou verklaren waarom de SUV op die manier maakte dat hij van de berg af kwam.'

'En hoe zit het met die explosie van automatisch geweervuur die volgens alle undercovers grofweg uit deze richting kwam?'

'We hebben het testterrein hierachter nog steeds niet uitgesloten als mogelijke bron van dat geweervuur,' bracht Grissom hem in herinnering. 'Bovendien heb ik geen enkele kogelhuls gezien, die je toch zou mogen verwachten bij zo'n enorme uitbarsting van automatisch geweervuur, en ik kan me niet voorstellen dat iemand ze binnen een paar minuten allemaal kan vinden en oprapen terwijl hij als de donder moet maken dat hij wegkomt, en dan ook nog in zo'n omgeving.'

'Maar we zijn nog niet eens met een nauwkeurig onderzoek van dit terrein begonnen,' wierp Brass tegen, kennelijk niet bereid om zijn instincten opzij te zetten.

'Nee, dat is zo,' zei Grissom. 'Maar we kunnen pas overdag fatsoenlijk onderzoek doen, bij dit kunstlicht is dat onmogelijk, en met die helikopterzoeklichten worden we gek als we het zouden proberen. En zo veel maakt het niet uit als we tot de ochtend wachten, want door de storm zal er niet veel mee gebeuren.'

Brass zweeg een lange tijd, keek neer op het hert voordat hij uiteindelijk sprak.

'Dus eigenlijk zeg je dat we hier onze tijd aan het verdoen zijn. Hier lijken we te maken te hebben met iets wat op een jachtongeluk lijkt dat op zichzelf staat, terwijl we eigenlijk daarbeneden op de kampeerplek een verdachte schietpartij tijdens een mislukte pseudodrugsdeal zouden moeten onderzoeken voordat de storm al het bewijs wegvaagt?'

Uit zijn toon en uit zijn lichaamstaal bleek duidelijk dat Brass er heel anders over dacht.

'Dit lijkt inderdaad op een duidelijk en simpel ongeluk, terwijl de schietsituatie beneden in het kamp me allesbehálve duidelijk en simpel voorkomt,' zei Grissom, geen duimbreed toegevend. 'En die storm komt eraan, waarschijnlijk eerder vroeg dan laat,' voegde hij er met een blik op de lucht aan toe. 'Dus ja, ik denk inderdaad dat we hierboven onze tijd verdoen.'

Voor Grissom iets kon zeggen of doen, draaide Brass zich om en liep met snelle pas terug naar het menselijk lijk. Grissom moest zich haasten om hem bij te houden.

Toen ze bij het lichaam aankwamen, knielde Brass neer en bestudeerde ruim vijf seconden het zichtbare gedeelte van het gezicht van de man in het licht van zijn zaklamp. Toen stond hij op en wendde zich tot Grissom.

'Moet je horen, Gil, ik ben het niet oneens met je technische beoordeling van het bewijs, ik probeer alleen mijn "rechter" politiehersens in overeenstemming te brengen met mijn analytische "linkerkant", en ik word er gek van, dus je moet me even ontzien. Neem een foto van het lijk, nu meteen. Neem er een paar, van alle kanten, zoals je dat altijd doet voordat het door de patholoog-anatoom en zijn onderzoekers wordt weggehaald.'
'Waarom, wat ga jij dan doen?' vroeg Grissom argwanend.
'Als je met die foto's klaar bent, wil ik proberen het lichaam om te draaien.'
'Zonder dat de lijkschouwer erbij aanwezig is?'
'Ja.'
'Waarom zou je dat willen?' vroeg Grissom op scherpe toon.
'Omdat ik denk dat je op één punt absoluut gelijk hebt: als dit inderdaad een jachtongeluk is, dan kan het zeker wachten tot na de reconstructie van de pseudokoop-schietpartij. Maar aan deze hele toestand hier zit een luchtje, en dan heb ik het niet over het lijk van die vent of het hert. Ik wil dat nu voor mezelf oplossen, voordat we nog meer tijd verspillen. En ja, ik neem de verantwoordelijkheid op me voor het feit dat we het protocol met voeten treden.'
Grissom dacht even over Brass' verklaring na en knikte toen instemmend.
'Oké, ik vind het prima. Jij hebt hier het bevel, dus is het jouw pakkie-an.'
Terwijl Brass ongeduldig bleef wachten, nam Grissom een reeks van vier overzichtsfoto's vanuit de rechterhoek van het lichaam en nog een vijfde van het zichtbare deel van het gezicht van de man.
'Oké,' zei Grissom terwijl hij bij het lichaam vandaan stapte, 'ga je gang maar.'
Brass mompelde iets bevestigends, knielde neer en rolde het zware lichaam om. Hij richtte de lichtstraal van zijn zaklantaarn op het gezicht van de man en grinnikte toen voldaan.
'Vind je de dood van die man soms grappig?' vroeg Grissom nieuwsgierig. Zo had hij Brass nog niet eerder meegemaakt.

'Nee, maar wat ik uitermate interessant vind is dat een buitengewoon gevaarlijke en paranoïde maffiabaas als Enrico Toledano zichzelf midden in de nacht op een afgelegen berg laat doodschieten, door een of andere stroper die een hert afschiet.'

7

Catherine Willows hield het overzicht over de werkzaamheden van haar vier CSI-teamleden – terwijl ze tegelijkertijd assistent-lijkschouwer David Phillips en zijn technicus voorzichtig hielp het door kogels en hagel doorzeefde slachtoffer via de passagiersdeur uit de truck te halen en in de klaar liggende lijkzak te doen – toen haar mobieltje plotseling ging.
Nadat ze voorzichtig het hammerless Smith & Wesson pistool dat ze van onder de truckbank had opgeraapt aan Sara had overhandigd, liep Catherine van de truck weg, haalde haar telefoon uit haar borstzak en klapte hem open.
'Willows.'
'Catherine, met Gil. Hoe gaat het daar?'
Catherine keek om zich heen en nam het hele terrein een paar ogenblikken in zich op voordat ze een antwoord formuleerde, want ze wist maar al te goed dat, ook al stelde Gil dit soort vragen nogal nonchalant, hij eigenlijk naar specifieke details vroeg.
'We schieten redelijk goed op,' zei ze ten slotte. 'We hebben alle zes paar handschoenen van de undercovers, de kits met de geweerkruitresten, mijn sporen op de truck, alle vuurwapens en extra munitie, en alle sets vingerafdrukken ingepakt, gelabeld en in onze bestelbus opgeborgen. Hun wapens bestonden uit één M4 aanvalsgeweer, twee .12 kaliber Remington repeteergeweren met extra grote patroonhouder, één .40 kaliber Sig-Sauer pistool, twee .40 kaliber Smith & Wesson MP's, drie 9mm Glocks en een hammerless .38 Smith & Wesson van onze Jane Smith. Het is interessant dat dit laatste wapen niet alleen identiek lijkt te zijn aan de .38 die ik net uit de truck heb gehaald, maar dat de serienummers op de drie laatste cijfers na hetzelfde zijn.'
'Dat is inderdaad interessant,' stemde Grissom in. 'Wie gaat daarmee verder?'

'Dat wilde ik doen, maar ik heb besloten te wachten tot jij en Jim terug zijn. Ik denk niet dat Jane Smith mijn soort vragen zal waarderen, noch de rest van de Narcotica-agenten, met name Fairfax niet.'
'Wacht daar maar mee tot we terug zijn,' zei Grissom. 'Wat heb je nog meer?'
'We zitten een beetje met de munitietoestand. Alle Glocks waren met identieke 9mm hollow points geladen, afkomstig uit één munitiekist uit de truck van de undercovers, maar Grayson en de twee DEA-agenten hadden een ander merk .40 kaliber hollow points. En de staatsnarcs hebben hun vuurwapens geladen uit twee dozen met hagel van hetzelfde merk, maar van een andere partij en met een fabricageverschil van twee jaar.'
'Dat kan bruikbaar zijn.'
'Zou kunnen,' zei Catherine instemmend, 'maar niet zomaar. Het blijkt dat beide agenten hun jaszakken eerst met hagelkogels hebben volgestopt en toen hun vuurwapens hebben geladen... wat waarschijnlijk neerkomt op een willekeurige kogelmix in beide wapens, gezien de twee groepen uitgestoten hulzen op de plaats delict en de rest van de kogels in hun jassen.'
'Oef. Arme Greg,' merkte Grissom op.
'Precies,' erkende Catherine, terwijl ze omlaagkeek naar een paar in overall gestoken benen die van onder de voorkant van de truck naar voren staken. 'Op dit moment is hij zand aan het schiften onder het motorblok, op zoek naar afgeketste kogels en hagel. Als hij daarmee klaar is, gaan Sara en hij achter de sleepwagen aan, terug naar het bureau met de vuurwapens. Daar begint zij met het testschieten terwijl Greg de truck op de autolift zet en met de projectielinslaganalyse begint.'
'Schitterend.'
Catherine verplaatste haar aandacht naar Warrick en Nick, die vlak bij de 'vrouwengemak'-zwerfkei druk bezig waren met het manipuleren van een laserscanner, die aan het uiteinde van een tien meter lange hoogwerker met twee ellebogen op het dak van hun nieuwe CSI-bestelbus was bevestigd.
'Warrick en Nick waren een paar minuten geleden klaar met de

foto's van de locaties en de truck, alsmede de driedimensionale truckopnamen,' vervolgde ze. 'Ze zijn nu bezig met het herpositioneren van de 3D-scanner boven de zwerfkei en de kegels waar Jane Smith naar eigen zeggen stond toen de truck arriveerde, en vanwaar ze met schieten begon. De gegevens over wie waar stond, knielde of lag toen ze gericht schoten zijn tegenstrijdig, maar dat ligt eerder op het vlak van de timing dan iets anders, en de knie- en elleboogafdrukken zouden ons wat dat betreft uit de brand moeten helpen. De jongens hebben wat problemen met het goed neerzetten van de scanbus, omdat het zand zo zacht is, maar tot nu toe zijn ze nog maar één keer vast komen te zitten. Ze zeggen dat ze met een uurtje of twee klaar zijn, maar wat ik ervan zie, kan het nog wel drie of vier uur duren. Hier en daar is het zand behoorlijk diep.'

'Voor die tijd is de storm allang losgebarsten,' zei Gil. 'Hierboven begint het al nevelig te worden.'

'Ik weet het,' antwoordde Catherine. 'We werken eerst de locaties af die het meest open zijn en het meest twijfelachtig. En als het niet anders kan, hebben we altijd nog de locatiestipgegevens om de digitale foto's met de truckscan te vergelijken.'

Catherine keek naar links van haar, waar Sara op een uitgespreid zeildoek voor een van de geparkeerde politiepatrouillewagens geknield zat, waar ze in het licht van de koplampen met een ouderwets printborsteltje en fijn wit poeder de hammerless Smith & Wesson op onzichtbare vingerafdrukken controleerde.

'O, en het zal je verheugen dat onze nieuwe draagbare laser het heeft begeven op het moment dat we de generator erop aansloten. Warrick denkt dat op de weg hiernaartoe waarschijnlijk het moederbord is losgetrild, maar hij wil de kast niet openmaken vanwege al dat zand hier. Hij en Nick hebben de tweede laser op het lab gelaten omdat ze de ruimte nodig hadden voor al die nieuwe 3D-scanapparatuur. En onze derde unit staat nog in de winkel, dus zijn we voor de onzichtbare afdrukken overgeleverd aan borsteltje en poeder. We wachten met de verwerking van de undercoverwapens tot we op het lab terug zijn, maar ik laat Sara nu al naar het geweer en pistool kijken die we in truckcabine hebben gevonden.'

'En hoe zit het met...'
'Sorry dat ik je onderbreek, maar ik wil graag mijn plaats-delict-statusrapport afmaken nu ik het allemaal nog in mijn hoofd heb. David en ik hebben net het slachtoffer in een lijkzak gestopt. Je moet straks ook maar met David praten, maar ik zal je de belangrijkste dingen vertellen: we hebben geen enkele legitimatie op het lichaam of in de truck gevonden, en op zijn handen, armen en nek zijn geen zichtbare tatoeages, ook niet op wat er over is van zijn gezicht. Ik heb een kruitrestenafstrijkje van zijn beide handen genomen, maar we wachten met vingerafdrukken tot hij in het lijkenhuis is.'
'Lijkt me redelijk,' zei Grissom instemmend.
'Zodra het patholoog-anatoomteam naar de stad teruggaat,' ging Catherine verder, 'ga ik de lege patroonhulzen verzamelen en op zoek naar wat ik verder nog aan bewijs kan vinden – het zou ideaal zijn als ik dat kan doen voordat de storm losbarst, wat betekent dat ik hier zo snel mogelijk wel wat hulp kan gebruiken... als je het boven niet te druk hebt, natuurlijk.'
'Laat David nog niet met het lichaam weggaan,' zei Grissom snel.
'Waarom niet?' vroeg Catherine, tegelijkertijd denkend: o nee, hè.
'Hoe zit het met de truck?' vroeg Grissom. 'Zijn daar al aanknopingspunten gevonden?'
'Niet veel. De nummerplaten zijn kennelijk onlangs vervangen, en het chassisnummer blijkt van een voertuig te zijn dat als laatste op naam stond van een plaatselijke boer, maar die heeft hem een halfjaar geleden als gestolen opgegeven. In de cabine en onder de motorkap zit een hoop stof en spinnenwebben, dus we denken dat hij al die tijd ergens in een schuur heeft gestaan en niet vaak is gebruikt.'
'Dus ons slachtoffer komt zo, zonder een waarneembaar spoor, uit de lucht vallen – volkomen ongrijpbaar.'
'Zei Fairfax zoiets niet over Ricardo Paz Lamos?'
'Ja, inderdaad,' bevestigde Gil. 'Heb je iets over het type, model en kaliber van het geweer in de truck?'
Catherine keek snel haar aantekeningen door. 'Het is een oud re-

peteergeweer, Winchester Model 70, .308 kaliber. We vonden een lege huls in de kamer en twee kogels in de houder.'
'Prima,' antwoordde Grissom. 'Dat kan een paar dingen hierboven ophelderen.'
'Je gaat me toch niet vertellen...'
'Wat we hier hebben lijkt op een op zichzelf staand jachtongeluk, waar een welbekende plaatselijke bewoner bij betrokken is. Tenminste, ík denk dat het om een jachtongeluk gaat, maar Jim is daar niet van overtuigd, dus ik wil dat de lijkenhuisjongens met de DEA-helikopter naar boven komen en voor ze vertrekken nog twee lichamen oppikken. Ik heb al contact gehad met de piloten en ze zijn nu op weg naar jou.'
'Zei je nog twéé?'
'Ik kom met de helikopter mee terug naar de kampeerplek en leg alles uit als ik er ben,' zei Grissom. 'Het volstaat te melden dat ons jachtslachtoffer wellicht neergeschoten is met een .308 geweerkogel.'
'O,' was het enige wat ze uiteindelijk wist uit te brengen. Na een paar ogenblikken voegde ze eraan toe: 'Worden de dingen hierbeneden daardoor eenvoudiger of wordt het er juist ingewikkelder op?'
'Vertel het me maar als je daarachter bent.'

Een halfuur later hielpen Grissom, Brass, Fairfax en Holland de assistent patholoog-anatoom David Phillips en zijn technisch onderzoeker het zware lichaam van Enrico Toledano naar de DEA-helikopter te zeulen. De mannen worstelden ieder om greep te houden op een van de zes bandenlussen die in het midden en aan de vier hoeken van de extra large rubberen lijkzak waren bevestigd, terwijl ze zich op een min of meer gecoördineerde manier probeerden voort te bewegen zonder hun enkels te stoten tegen de nu wel heel glibberige rotsen.
Tien minuten geleden was het gaan regenen en de koude druppels sloegen nu neer, geholpen door een wervelende wind waarbij de helikopterpiloten – om nog maar niet te spreken over Fairfax en

Holland – zich steeds ongemakkelijker begonnen te voelen terwijl ze wachtten op het zich haastende forensische team dat de lichamen haalde.

De twee hoofdinspecteurs waren niet blij geweest toen ze hoorden dat de eerste, kleinere lijkzak het karkas van een klein hert bevatte, maar Brass was niet in de stemming geweest om de kwestie beleefd te bespreken. Hij zei kortweg tegen de nijdige agenten en de voor de storm beduchte piloten dat hij niet van plan was het lijk van het hert of dat van Enrico Toledano daarboven te laten liggen, waar ze konden worden opgepeuzeld door de plaatselijke fauna. Ze zouden allebei van de berg komen, ook al moest hij ze er zelf vanaf sleuren.

Zoals verwacht sorteerde het noemen van de naam Enrico Toledano het beoogde effect: de twee Narcotica-eenheidscommandanten waren onmiddellijk uit de helikopter gesprongen om een handje te helpen.

'Jezus, hoeveel weegt die kerel?' vroeg Fairfax op nijdige toon, naar adem snakkend toen de zes mannen een korte pauze in de storm te baat namen om even te stoppen en op krachten te komen voor hun laatste spurt naar de wachtende helikopter. Ze hadden nog dertig meter te gaan en het ging bergopwaarts.

'Ik gok op minstens honderdzestig kilo,' zei Phillips, die er uitgesproken bleek uitzag in het licht van de politieheli hoog boven hen. 'Misschien zelfs honderdtachtig.'

'We hadden hem met de gepantserde Black Hawk moeten ophijsen,' sputterde Fairfax terwijl hij de regendruppels van zijn druipende hoofd schudde. 'En, wat betekent dit allemaal, Brass? Vertel je me soms dat Paz Lamos naar boven is gegaan en Enrico Toledano heeft neergeschoten voor hij achter mijn team aan ging? God, als dat bekend wordt, dan krijgen we langs de hele zuidkust een maffiaoorlog.'

'Vraag het maar aan Gil, ik ben nu te moe om te praten,' antwoordde Brass, om zich heen kijkend of hij iets anders dan Toledano's lijkzak als zitplaats kon gebruiken.

'Alles aan deze plek hier zegt me dat het een jachtongeluk was,' bracht Grissom in het midden terwijl hij adem probeerde te krijgen. 'En gebaseerd op wat we tot nu toe hebben gevonden, kun je makkelijk geloven dat Toledano met zijn dure spullen hierboven was en een woestijndikhoornschaap wilde stropen – vooral omdat de bewijzen sluitend lijken te zijn, en zo veel arrogantie is precies iets voor iemand als hij. We zullen een hoop meer te weten komen als we die lichamen en de rest eenmaal in het lab hebben.'

'Dus je hebt werkelijk geen enkel bewijs dat Paz Lamos hierboven was?' drong Holland met licht piepende stem aan. De staatsinspecteur was net zo bleek als Phillips, maar niet half zo fit.

'Misschien kunnen we aantonen dat het slachtoffer uit de auto hier is geweest, vooral als de huls die ik heb gevonden overeenkomt met het geweer uit de truck,' zei Grissom, verbaasd dat zijn longen niet méér brandden in de koude, ijle lucht. 'Maar als het om Paz Lamos zelf gaat, vraag je het aan de verkeerde. Op dit moment heb ik niet eens bewijs dat de man zelfs maar bestaat. Het is alsof je bewijs probeert te identificeren op basis van een Bigfoot-zaak: we moeten echt beginnen met een bekende vergelijkingsstandaard.'

'Geloof mij maar, die kerel bestaat,' gromde Fairfax. 'Drie dode verklikkers en twee agenten liggen in een ziekenhuis te herstellen van bijna-fatale schotwonden die dat bewijzen.'

'En bij ons een dode staatsagent die twee motoragenten in Arizona probeerde te helpen bij de aanhouding van zijn auto,' voegde Holland eraan toe, nu een beetje minder bleek in het draaiende zoeklicht van de helikopter boven hen. 'We vonden ze naast hun voertuigen, alle drie door het hoofd geschoten. En dat was nadat hij een federale parkwachter de stuipen op het lijf had gejaagd die hem met een lading coke betrapte tijdens het oversteken van de grens bij het Cabeza Prieta National Wildlife Park. Om welke reden dan ook lijkt hij graag zijn grote deals in federale wildparken af te sluiten.'

'Dus daarom hebben jullie de pseudokoop hier georganiseerd,' zei Brass, begrijpend knikkend.

'Precies.'

'Maar is er ook maar een stukje van hem bij jullie bekend? Bloed, haar, speeksel, vingerafdrukken, voetafdrukken? Iets?'

'Niets, alleen een onscherpe foto. Die hebben we van een videoband gehaald van een van de patrouillewagens in Arizona,' antwoordde Holland. 'Volgens iedereen die met hem te maken heeft gehad en dat heeft overleefd duikt hij altijd afzonderlijk van de drugdeals op, in donkere kleren, masker op, handschoenen en muts, als een kruising tussen Zorro en een ninja. Hij komt nooit in de buurt van de drugs of het geld, en hij is altijd de eerste die gaat schieten als de boel verkeerd gaat.'
'O ja, en nog iets,' voegde Fairfax eraan toe. 'Het gerucht gaat dat hij vroeger een veelgezochte huurmoordenaar is geweest... en dat hij er nog altijd geen enkel probleem mee heeft om mensen om te leggen – en daar vallen Mexicaanse en Amerikaanse agenten absoluut ook onder – als het maar genoeg geld oplevert.'
'Zelfs een maffiabaas?' vroeg Grissom.
Fairfax haalde zijn schouders op. 'Zeg jij het maar.'
'Dus, als Paz Lamos inderdaad Enrico Toledano heeft neergeschoten, was dat waarschijnlijk geen ongeluk,' concludeerde Brass. 'Zo te horen is hij niet het type dat zijn munitie aan een hert verspilt.'
'Wat ook nog kan, is dat een van Toledano's onderbazen Paz Lamos heeft ingehuurd om de moord te plegen,' zei Holland. 'We horen al maanden dat zijn mensen bepaald niet gelukkig zijn met hun lagere aandeel in de slinkende inkomsten en dat hij steeds vaker van zijn dagelijkse werkzaamheden wordt "vrijgesteld", wat dat ook mag betekenen.'
'Als dat daar werkelijk is gebeurd, dan heb je echt de poppen aan het dansen, want geen van de andere maffiabazen wil dat het gokken in Las Vegas nog meer in de federale kijker gaat lopen, daarvoor is het te lucratief,' zei Fairfax. 'We weten allemaal dat de aandacht van de federale politiemacht de laatste jaren vooral is verschoven naar binnenlandse veiligheidskwesties, maar een vermoorde maffioso in Vegas kan de zaken binnen vierentwintig uur compleet omdraaien, helemaal als de min of meer onafhankelijke families weer met elkaar op de vuist gaan.'
'Waardoor waarschijnlijk de nadruk van staat en federale overheid

nog minder op drugs vanuit Mexico komt te liggen dan nu al het geval is,' voegde Holland eraan toe.
'Wat betekent dat Ricardo Paz Lamos en de kartels een dikke slag slaan – motief én gelegenheid – zolang hij maar niet in verband wordt gebracht met de schietpartij.' Fairfax keek naar boven toen het weer begon te regenen, en hij ademde diep in. 'O man, het begint weer. Klaar voor de laatste loodjes, jongens?'
Niemand leek erg enthousiast bij dat vooruitzicht, maar alle zes mannen bukten zich en pakten in koor kreunend en grommend de lijkenzak weer op.
'Nog één vraag,' zei Grissom terwijl hij gebukt onder zijn deel van de last voortstrompelde. 'Als het waar is wat jullie zeggen, en een slimme vent als Paz Lamos weet dat hij en de kartels zouden winnen bij Toledano's dood als zij er niet mee gelinkt zijn, waarom zou hij dan de moord plannen op hetzelfde moment dat hij tien kilo cocaïne zou verkopen aan een stelletje motorrijders – en nagenoeg op dezelfde plek?'
'Dat is het probleem met jullie rechtlijnig denkende forensische types,' zei Fairfax half grappend terwijl de zes mannen de lijkzak weer bergopwaarts richting de ongeduldig wachtende helikopterbemanning begonnen te sjouwen. 'Jullie begrijpen de complexe en geschifte werking van de sluwe misdadige geest echt niet.'
'Of die van de sluwe geest van een agent,' stemde Grissom minzaam in. 'Maar dat is oké, we hoeven onze tegenstanders niet echt te begrijpen, zolang ze maar behulpzaam fouten maken als het er echt op aankomt.'

Vanuit de schuilplek van een grotachtige spleet in de rotsen die uitkeek op de landingsplaats van de helikopter zag Viktor Mialkovsky met een mengeling van onbehagen en ergernis de zes mannen het tweede lichaam in de Black Hawk laden.
Hij voelde zich slecht op zijn gemak omdat het hem niet aanstond dat Grissom en Brass erop hadden gestaan om het karkas van het hert in een speciale lijkenzak mee de berg af te nemen, samen met zijn doelwit. Dat duidde erop dat Grissom misschien iets had op-

gemerkt wat hij over het hoofd had gezien toen hij als een haas het tafereel had opgezet voordat de helikopters voor een tweede ronde terugkwamen.

Mialkovsky geloofde eigenlijk niet dat hij iets belangrijks had gemist, maar de ronddwarrelende wind had Grissoms licht sarcastische steek over 'behulpzame fouten' van de plaats delict naar zijn schuilplaats meegevoerd, en de woorden bleven knagen. Hij hield er niet van eraan herinnerd te worden dat geluk onveranderlijk een rol speelde bij al zijn dekmantels, en dat fouten – idealiter klein en zonder gevolgen – bijna onmogelijk te vermijden waren.

Dit waren principes waarop Mialkovsky zich in zijn vroege carrière had verlaten om opzettelijke overtredingen van de militaire regels die voor gevechtseenheden golden op te sporen en doelbewust bloot te leggen.

Maar die principes zouden Grissom en de politie ook hanteren om hem op te sporen, mocht blijken dat een van die onvermijdelijke fouten toch gevolgen zou hebben.

Maar hopen dat dat niet zo is, mijmerde de jager-doder, nog altijd aan het hertenkarkas denkend terwijl hij mistroostig de lucht in keek.

Hij was geërgerd omdat Grissom en zijn metgezel (duidelijk een rechercheur) onbewust zijn bergafwaartse vlucht voor het ging stormen hadden weten te vertragen, doordat ze zo lang op de plaats delict hadden rondgehangen voordat ze de transporthelikopter opriepen.

En nu het zover was, en de storm fiks aanwakkerde, zat hij daar vast tot die wat zou gaan liggen, want de regen en bewolking hadden een tweeledig effect: zijn geplande ontsnappingsroute zou nu nog gladder zijn en het zicht door zijn nachtkijker nagenoeg nul.

Samen met de wind en de bijna volslagen duisternis was dat bijna een garantie dat dit heel slecht zou aflopen – minstens een onbeheersbare val, of nog iets veel ergers. Hij kon het zich in dit late stadium van de operatie eenvoudigweg niet veroorloven, met name omdat hij koste wat kost uit de stad moest zien te komen – het liefst zo onopvallend mogelijk – en wel zo snel mogelijk.

Het enige voordeel was dat de storm hoogstwaarschijnlijk de beide helikopters aan de grond zou houden – of ze konden tenminste niet al te laag vliegen – en daarmee Grissom en zijn CSI-team tot de dageraad van de berg zou weghouden.
Hij moest zich verschuilen tot de storm ophield, voordat iedereen hier terugkwam snel zijn weg naar de motorfiets zien te vinden, en dan zou alles prima aflopen.
Mialkovsky had op dit moment weinig invloed op de timing en geluksfactoren van zijn missie. Maar hij had het volste vertrouwen in zijn militaire en overlevingsexpertise. Bovendien beschouwde hij zichzelf als een uiterst geduldig man.

8

Dr. Albert Robbins en David Phillips keken allebei van hun werk op toen Gil Grissom en Catherine Willows in witte labjassen de snijkamer in liepen.
'Gil, Catherine,' zei de norse patholoog terwijl hij even zijn bebloede scalpel opstak. 'Ik ben tot de conclusie gekomen dat het een uitstekend idee was om David naar je plaatsen delict te sturen. Hij komt altijd met iets... aparts terug.'
'Ik neem aan dat je het over het hert hebt?' vroeg Grissom terwijl hij naar het kleine zoogdier keek dat languit op de derde autopsietafel lag. Het was inderdaad een heel ander beeld voor de patholoog-anatoom van het Clark County lijkenhuis: het magere en kwetsbaar ogende schepsel leek volkomen misplaatst naast het doorzeefde lichaam van de truckbestuurder op tafel twee – waar David druk bezig was met de inhoud van een kruitrestenonderzoekskit – en het veel grotere en duidelijk moddervette lijf van Enrico Toledano op tafel een, waar Robbins bijna klaar was met de autopsie.
'Bepaald geen doorsnee misdrijfslachtoffer,' zei Robbins. Hij had zijn aandacht gericht op de geopende borst en gedeeltelijk opengesneden keel van Toledano. 'Tenzij de CSI-teams in hun vrije tijd aan stroperszaken zijn gaan werken... maar ik dacht eigenlijk niet dat jullie veel vrije tijd hádden.'
'Misschien werk je nu wel aan een stroper,' zei Catherine terwijl ze naast Robbins kwam staan en in de geopende wond staarde.
'O ja?' Robbins keek haar verbaasd aan. 'Ik dacht dat meneer Toledo een...' Hij draaide zijn hoofd om naar Phillips en knipperde met zijn ogen, toen het hem begon te dagen. 'Oké,' zei hij schouderophalend terwijl hij zich weer met zijn scalpel aan zijn werk wijdde. 'Ik neem aan dat het een het ander niet uitsluit.'
'Iets interessants gevonden, Al?' informeerde Grissom.

'Toevallig wel, ja,' zei Robbins, en hij gebaarde naar een roestvrijstalen schaaltje naast de open schedel van Enrico Toledano. 'Wat dacht je daarvan?'
Grissom en Catherine bogen zich naar voren en keken naar een enkel voorwerp dat midden in het schaaltje op een bloederig gaasje lag.
'Het lijkt op een paddenstoelvormige geweerkogel van ongeveer .30 kaliber, en er zitten stukjes weefsel onder de afgescheurde huls,' antwoordde Grissom.
'En...?' reageerde Robbins snel.
'Is er dan nog meer?' Grissom haalde een plastic tang uit zijn witte labjas en tilde daarmee voorzichtig de kogel zo ver op dat hij en Catherine hem allebei goed konden bekijken.
'Het lijkt wel alsof de kogelbasis aan één kant licht vervormd is... alsof hij een stevig voorwerp heeft geraakt, geschampt wellicht?'
'Inderdaad,' zei Robbins. 'En dat stevige voorwerp was de derde nekwervel van ons slachtoffer hier.'
Grissom en Catherine keken elkaar verward aan en stonden daar een paar ogenblikken peinzend over na te denken.
'Hoe werkt dat?' vroeg Catherine ten slotte. 'Raken geweerkogels hun doelwit meestal niet eerst met de punt?'
'Wel als ze niet tuimelen,' antwoordde Robbins. 'De relatief kleine en lichte 5,56mm kogels die voor onze militaire aanvalsgeweren en verschillende burgerexemplaren worden gebruikt zijn berucht om het feit dat ze afketsen op relatief lichte objecten en dat ze bij de inslag tuimelen, waardoor ze veel ernstiger wonden veroorzaken dan je zou verwachten.'
'Maar dit is een betrekkelijk grote kogel, speciaal ontworpen voor een high-powered geweer, dus hij zou helemaal niet mogen tuimelen,' zei Grissom. Hij hoopte dat de patholoog hem kon helpen zijn eigen theorie te concretiseren over het enkele bloedspatpatroon dat hij en Brass rondom Toledano's geweer hadden aangetroffen.
'Nee, dat is waar,' zei Robbins instemmend. 'Sterker nog, een high-powered geweerkogel als deze zou eigenlijk eerder zo'n grote wond als die daar moeten hebben veroorzaakt' – de patholoog gebaarde

met zijn scalpel naar het verbrijzelde hoofd van de truckbestuurder op tafel twee – 'in plaats van een relatief kleine, hoewel fatale wond als deze.' Hij wees naar Enrico Toledano's gedeeltelijk opengesneden hals. 'Tenzij de kogel natuurlijk eerst door iets behoorlijk massiefs uit koers is gebracht, zoals een kogelvrij vest met een keramische of composietplaat.'
'En is dat ook zo?' vroeg Catherine.
'Niet voor zover ik het kan overzien,' zei Robbins. 'Ons slachtoffer hier droeg dat reusachtige en ongetwijfeld op maat gemaakte kogelvrije vest dat daar op tafel ligt' – hij knikte naar een roestvrijstalen tafel in de hoek van de snijkamer – 'wat volgens het label een eersteklas beschermingsmiddel is om kogels tot en met een .357 Magnum tegen te houden.'
'Maar geen .30 kaliber high-powered geweerkogels,' zei Catherine terwijl ze ernaartoe liep en kort het met bloed bespatte vest bekeek.
'Nee, ik weet zeker dat zo'n kogel regelrecht door dat speciale vest zou scheuren, of welk ander vergelijkbaar vest ook dat geen beschermend schild aan de voorkant heeft,' zei Robbins. 'Maar in het geval van ons slachtoffer was dat niet relevant, want die kogel is volledig langs het vest heen gegaan.'
'Jij gelooft dat het bovenlichaam en het vest van meneer Toledo een makkelijk doelwit waren – zeker met een geweer – als de schutter daaropuit was,' opperde Grissom.
'Zonder meer,' zei Robbins, 'wat ook te zien is aan de talloze kogelwondlittekens op zijn torso. Het lijkt me niks om een buitengewoon potige maffiabaas te zijn met een heel lange lijst vijanden.'
'Maar deze kogel moet iets behoorlijk substantieels hebben geraakt wil hij zo groot als een paddenstoel worden, wat is dat dan geweest?' vroeg Catherine terwijl ze naar de tafel terugliep.
'Geen idee,' antwoordde Robbins.
'Wat dacht je van een hert?' vroeg Grissom.
Robbins trok een wenkbrauw op. 'Je bedoelt zoals dit hier op tafel drie?'
'Inderdaad.'
Robbins liep met een peinzende uitdrukking op zijn gezicht naar

de tafel, onderzocht het hert een paar ogenblikken en liep toen naar de groep terug.
'In eerste instantie zou ik zeggen waarschijnlijk niet, want welk projectiel die wond ook bij dat hert heeft veroorzaakt, het heeft de nekbotten volledig gemist en is eenvoudigweg door zijn relatief kwetsbare keel gescheurd. Het was waarschijnlijk onmiddellijk dood door de hydrostolische shock. Ik weet meer als ik een paar röntgenfoto's heb gemaakt, maar volgens mij kan de paddenstoelvorm of de baan van een grootkaliber kogel uit een high-powered geweer nooit veroorzaakt zijn door zo'n klein beetje zacht weefsel. Maar ik ben geen expert op het gebied van uitgezette kogels, dus dat laat ik aan jullie over, samen met het vest,' zei hij glimlachend.
Grissom keek naar Catherine, die uit de zak van haar labjas een kleine manilla envelop tevoorschijn haalde. Ze wachtte tot Grissom een paar plastic handschoenen had aangetrokken en hield hem open terwijl hij de kogel voorzichtig in het gaasje vouwde en het hele pakketje in de envelop terugstopte.
'Ik breng deze kogel direct naar Bobby, evenals het vest, de .308 geweren van de twee plaatsen delict en de patroonhuls die je hebt opgeraapt,' zei Catherine terwijl ze naar de roestvrijstalen kar liep, waar David nu stond te wachten met een klembord in de hand. 'Daarna ga ik bij Greg en Sara kijken.'
'Doe dat ook bij Warrick en Nick, als je het niet erg vindt, en vergeet niet Wendy naar dat weefsel onder die kogelhuls te laten kijken,' zei Grissom. 'Zodra ik de rest van het bewijs heb opgehaald, moet ik naar een bespreking met Brass.'
'Geen probleem,' antwoordde Catherine terwijl ze het klembord van Phillips overnam, snel een krabbeltje onder het labformulier zette, het gelabelde vest oppakte en door de deur verdween.
'Alles is er, dus we kunnen aan de gang,' zei David. Hij wees naar de gelabelde kit met kruitresten en de pasgeïnkte vingerafdrukkaart die hij op de kar had gelegd naast net zo'n set spullen met een label waarop stond dat die van Enrico Toledano was. 'Zodra we met de autopsie klaar zijn, zal ik alle toxische monsters naar het lab sturen, samen met wat we op onze John Doe vinden.'

'Prima.' Grissom draaide zich weer om naar Robbins. 'Verder nog iets?'
'Niet echt.' De patholoog haalde zijn schouders op. 'We proberen impactmetingen te doen van zo veel mogelijk punten waar de kogel en hagel zijn ingeslagen, maar ik denk niet dat we veel kunnen zeggen over de richting of volgorde als het gaat om de hoofdwonden van onze John Doe.'
'Nee, dat zal wel niet,' zei Grissom, en hij wierp nog een laatste blik op de vernielde gelaatstrekken van de man. 'Zo te zien zijn we afhankelijk van wat elektronische tovenarij... en, geloof het of niet, misschien zelfs wat middelbareschool-trigonometrie.'

'Hoe gaat het?' vroeg Catherine toen ze de belangrijkste garageonderzoeksruimte van het technisch lab binnenliep. Sara zat op een kruk voor de rode truck, die in de autotakel hing en nu ongeveer dertig centimeter boven de labvloer was gehesen. Ze nam voorzichtig monsters langs de randen van een gekarteld gat aan de buitenkant van de truckgrille, vlak naast een lange houten pen die door een ander vergelijkbaar gat in de grille was geschoven, evenals in de radiator, waar zo te zien net zo'n gat zat. Een stapeltje pennen van ongeveer een meter lag voor haar knieën op de betonnen vloer.
Vanwaar zij stond, ongeveer drie meter bij de truck vandaan, zag Catherine dat er minstens vijftien tot twintig andere pennen uit de grille staken, en net zo veel gebruikte metaalsporenbuisjes op een vierkant stuk slagerspapier dat rechts van de jonge technisch rechercheur op de grond lag uitgespreid. Catherine kreeg de indruk dat Sara nog tientallen gaten te gaan had.
Nick stond bij een diepe gootsteen aan de overkant van de garage vet en olie van zijn handen te schrobben.
'Ik denk dat Nick tot nu toe nog het verst is gekomen,' zei Sara zuchtend terwijl ze snel een blik wierp op een ruwe schets die links van haar op de betonnen vloer lag. Ze schreef iets op het sporenbuisje, zette dat vervolgens naast de andere op het vetvrije papier en pakte toen een volgende houten pen. 'Terwijl Greg en ik de

handleiding van de nieuwe hijskraan nog aan het lezen waren, heeft hij het voertuig van onze John Doe van de sleepwagen in de takel weten te krijgen, en de banden op de juiste hoogte weten te brengen.'

'Heeft Nick vrijwillig de truck uitgeladen?' Catherine trok nieuwsgierig een wenkbrauw op. Grissom had Nick aan een veel uitdagender en lang niet zo vies karweitje gezet.

'Ik kwam langs om te kijken hoe erg de voorbanden eraan toe waren, en hoorde Greg en Sara met de sleepwagenchauffeur overleggen over wie verantwoordelijk was voor het uitladen en optakelen van de truck van het slachtoffer,' verklaarde Nick terwijl hij met een grijns op zijn gezicht van de gootsteen opkeek. 'Als kind heb ik in de zomervakanties bij de buurtgarage gewerkt, dus ik weet hoe je met een kraan moet omgaan. Bovendien hebben Warrick en ik de gegevens van de voorkant nodig om onze kogelbanen uit te werken, en ik wilde niet dat Sara en Greg zichzelf met de kraan vies maakten en dat ik dan vervolgens de rotzooi op kon ruimen.'

'Normaal gesproken zou ik bij zo'n opmerking beledigd zijn. Maar op dit moment zou ik maar wat graag één ongelooflijk doorboorde grille-schuine-streep-radiator en een vies werkje, waar we het later wel over kunnen hebben, verruilen voor alles waar jíj mee bezig bent,' zei Sara hoopvol terwijl ze een zo te zien heel pijnlijke rechterarm uitstak en de volgende pen opraapte.

'Ik weet zeker dat ik Warrick hoor roepen,' zei Nick opgewekt, en hij zwaaide gedag en haastte zich de deur uit.

'Zo, waarom ben jij met die voorkant opgezadeld?' vroeg Catherine. 'Ik dacht dat Gil dat werkje aan Greg had gegeven.'

'Ja, maar terwijl Nick aan de truck aan het werk was en Greg met de ruwe schetsen bezig was en alle gaten en inslagpunten nummerde' – Sara wees naar drie verschillende schetsen van de truckgrille, de radiator en het motorfront, allemaal met dikke viltstift snel op vellen vetvrij papier geschetst – 'was ik in de indoorruimte bezig de vuurwapens te testen en toen glipte er een van mijn schouder.'

'Oef,' zei Catherine en ze kromp meevoelend ineen. 'Alles oké?'

'Alleen een gemene blauwe plek – die .12 kaliber kogels hebben een formidabele terugslag – maar je kent Greg: ridderlijk tot en met. Hij hoorde de opzichter via de intercom een noodoproep doen, kwam langs om te kijken hoe het met me was en bood toen aan om van baantje te ruilen.'
'Twee witte ridders die binnen een tijdsbestek van een uur je komen redden – dat is hier vast een record,' merkte Catherine met een grijns op.
'Ja, behalve dat ik nu bij allebei geweldig in het krijt sta, wat waarschijnlijk betekent dat ik de volgende klus helemaal in mijn eentje moet doen... en intussen moet ik deze krankzinnige puzzel zien op te lossen.'
'Ik ga even bij de anderen kijken, zodat ik zeker weet dat alles goed gaat, en dan probeer ik je even een handje te helpen met deze Rubik-kubus,' zei Catherine.
'Wat betekent dat ik ook bij jou in het krijt kom te staan, hè?' zei Sara achterdochtig.
'Als je dat maar weet,' zei Catherine met een knipoog terwijl ze naar de deur liep. 'Ik ben ook bepaald niet dol op dit soort klussen.'

'Schieten jullie een beetje op, jongens?' informeerde Catherine terwijl ze de kleine vergaderruimte van het lab binnenliep waar Warrick en Nick zich hadden geïnstalleerd met een paar laptops. Die hadden ze aangesloten op de centrale servers van het lab en de drie aan het plafond bevestigde projectors, die nu op de linker- en rechterkant van de tegenoverliggende muur hetzelfde toonden als op de laptopschermen te zien was.
Het middengedeelte was blanco.
Beide technisch rechercheurs zaten over hun machines gebogen, ze voerden razendsnel gegevens van het truckschietterrein in hun gedeelde, maar totaal verschillende programma's, en keken allebei op, kennelijk dankbaar voor de onderbreking.
'Ik voer de locatiepuntgegevens in het plaats-delicttekenprogramma in, en wat je hier ziet is een tweedimensionaal basisoverzicht,' zei Warrick.

'Waarom lijkt die truck op een blokkendoos?' vroeg Catherine.
'Dat is voorlopig, om hem op zijn plek te houden,' legde Warrick uit. 'Ik ga een standaard 3D-plaatje van een oude Ford-truck downloaden, zodat we kunnen bepalen vanwaar de schutters stuk voor stuk hun cruciale besluiten namen om wel of niet te schieten, maar uiteindelijk vervangen we dat door een 3D-beeld van de echte truck uit Nicks terreinscanner.'
'Vooropgesteld dat ik dertig verschillende beeldscans aan elkaar kan knopen die ook nog eens willen samenwerken,' corrigeerde Nick hem. 'Op dit moment is dat zo te zien nog onzeker, omdat het programma niet alle afzonderlijke locatiestippen herkent.'
'Een bug in het programma... of te veel gegevens?' vroeg Catherine.
'Dat weet ik niet,' zei Nick. 'Ik gebruik deze versie nu al bijna twee maanden en hij werkt prima bij eenvoudige plaats-delictsituaties. Wat betreft de locatiepunten zit het nu wel wat ingewikkelder in elkaar, maar volgens de specificaties moet het programma dit aankunnen.'
'En het gegevensvolume?' vroeg Warrick. Hij keek op van zijn laptop.
'Dat zou niets uit moeten maken, want ik draai het programma niet via het mainframe van het lab, dus hebben we alle knerpende energie die we nodig hebben,' antwoordde Nick. 'En zo te zien herkent het programma de voorwerpen zonder stip prima. Hier, kijk maar.'
Terwijl Nick aanvullende informatie in zijn laptop invoerde, verscheen Warricks ruwe terreinschets op het middengedeelte van de witte muur aan de overkant.
'Dat is de basis van het kampeerterrein, je ziet Pine Nut Road, de afslag, de plek waar de jeep van de undercovers staat, hun motorfietsen, het kampvuurtje, de kampeerstoelen en de twee grote zwerfkeien,' zei Nick. 'Moet je nu kijken.'
De rechercheur dubbelklikte op het bovenste beeld van de grote zwerfkei die Jane Smith als 'vrouwengemak' had gebruikt.
Onmiddellijk verscheen op het middengedeelte van de muur het

tweedimensionale beeld van de grote zwerfkei in de schets van het kampeerterrein, van bovenaf gezien.

'Oké,' zei Warrick, 'nu ga ik een ommetje om die zwerfkei maken.'

De schets midden op de muur ging plotseling over in een 3D-beeld van het reusachtige rotsblok... en bleef verschuiven terwijl Warrick een elektronische tour om de zwerfkei maakte vanaf een afstand van zo'n zeven elektronische meter.

'Wauw, dat ziet er bijna net zo uit als het echte terrein,' fluisterde Catherine onder de indruk, 'behalve dat...'

'... de zwerfkei eigenlijk meer hier lag,' besloot Warrick terwijl hij snel overschakelde naar het 2D-overzichtsbeeld, het beeld van de zwerfkei een elektronisch metertje opschoof en toen naar het 3D-beeld terugkeerde.

'Ja, precies,' zei Catherine knikkend. 'Wauw.'

'Niet precíés precies,' corrigeerde Nick haar. 'Maar op de uiteindelijke 3D-schets komt die rots precies terecht waar hij thuishoort – samen met de truck, de belangrijkste inslagpunten van de kogels en hagelschoten, en de positie van de zes schutters toen ze de truck voor het eerst in het oog kregen en begonnen te schieten – minstens tot op plusminus twee tiende millimeter accuraat... áls ik deze verdomde software tenminste aan de praat kan krijgen.'

'En dan zou het echt interessant moeten worden,' voegde Warrick eraan toe, 'want uit elk van die "schietlocatie"-kegels steekt een stok met een plaatsbepaler op min of meer de precieze hoogte van elk wapen op het moment dat de schutters vuurden – of ze nu stonden, knielden of lagen.'

'Dus kunnen we erachter komen wat de schutters wel of niet gezien konden hebben op het moment dat ze hun wapens afvuurden.' Catherine knikte begrijpend.

'Ja, dat kunnen we wel, maar alleen als we één exact bekend referentiepunt in de tijd en van de truckpositie hebben waarmee we alle andere schietmomenten en -plekken kunnen vastleggen en correleren,' merkte Warrick op.

'En dat gaat lastig worden,' voegde Nick eraan toe, 'omdat de beste

gegevens waar we op af moeten gaan waarschijnlijk de wapen-afstandsbepalingen zijn. En je weet hoe grof die schattingen gaan worden, zelfs als Greg en Sara de individuele patronen in die grille en radiator kunnen uitzoeken en berekenen.
'Wat wil je daarmee zeggen?' vroeg Catherine, licht gealarmeerd.
'Dat alle plaatsbepalingspunten op de schets – en de truck zelf – tot op een tiende millimeter hightech-accuraat zijn, maar dat de feitelijk locátie van de truck op enig moment slechts tot op plusminus een paar centimeter accuraat is?'
'Of misschien zelfs tot op plusminus een meter,' zei Warrick, 'afhankelijk van wat voor soort gegevens Greg en Sara uit die grille en radiator kunnen peuteren.'
'Volgens mijn uitgebreide telling,' zei Catherine, oplezend uit haar aantekenboekje, 'gaat het om tien high-based 00 hagelschoten, dertig 556mm geweerschoten en een combinatie van in totaal twintig 9mm en .40 kaliber pistoolschoten... en hoogstwaarschijnlijk drie .38 Special kogels... wat redelijk goed overeenkomt met de munitie die nog in de patroonhouders, kamers en cilinders van de undercovers zat.'
'Tien high-based hagelschoten?' Nick kromp ineen.
'Minstens, misschien wel elf,' vervolgde Catherine. 'Mace had nog een kogel in de kamer van zijn vuurwapen, maar hij kon zich niet meer herinneren of hij er vier of vijf in het magazijn heeft gestopt. Hoe dan ook, alles bij elkaar kom je op minimaal 173 projectielen die mogelijk de banden, de grille, de ramen en de truckcabine van het slachtoffer hebben geraakt... allemaal met een diameter van tussen de 7,6 millimeter en een centimeter... en die allemaal heel moeilijk uit elkaar te houden zijn – qua kogel met bijbehorend kogelgat – afhankelijk van de hoek van het schot, de kogelsnelheid, vectorrichting van de afketsende kogels op het chassis en motorblok, projectielafwijkingen, overlappingen, impacts en metaalmoeheid van het doelwit. En op dit moment is dat precies waar Sara mee te dealen heeft.'
Nick zag er verslagen uit. 'Dus we kunnen door middel van de vuurwapens de afstanden niet accuraat bepalen?'

'Waarschijnlijk niet, tenzij we langs de rand van elk kogelgat de metaalsporen analyseren om het oorspronkelijke projectiel te achterhalen,' voorspelde Warrick. 'Sara is monsters aan het verzamelen, voor het geval dat, maar het eigenlijke werk gaat uren duren.'

'Wat bedoel je eigenlijk met "wij"?' zei Nick. 'Ik ben nog de hele nacht bezig om dit softwareprobleem op te lossen, en jij bent nog niet eens in de buurt van het 3D-overzicht dat met Catherines beelden correleert.'

'En hoe zit het met David?' vroeg Catherine.

'Grissom heeft gezegd dat hij eerst aan de kruitrestsporen moest werken,' antwoordde Warrick.

'Maar ik weet zeker dat als je het onze slimme meneer Hodges vraagt, hij zal aanbieden om met zijn andere hand aan de metaalmonsters te gaan werken,' voegde Nick er sarcastisch aan toe. Niemand in de CSI-nachtploeg was bepaald dol op de kontkruipende analist.

'En Wendy?' zei Catherine, de niet serieus bedoelde opmerking negerend. 'Ik weet zeker dat zij de röntgenfluorescentie goed zou aankunnen.'

'Inderdaad... ze heeft vorige week haar examen gehaald,' bevestigde Warrick, 'maar van Grissom moet ze het weefsel onderzoeken van de kogel die Doc Robbins uit de nek van die maffiabaas heeft geplukt, en al die bloedspatten en afstrijkjes die jij uit de cabine en van het chassis van die truc hebt genomen.'

Catherine fronste haar wenkbrauwen. 'Wacht eens even, hoe zit het met Archie? Waarom kan hij ons niet uit de brand helpen, zodat we een van jullie kunnen vrijspelen?'

'Archie heeft zich vlak voor de wisseling van de wacht ziek gemeld,' antwoordde Nick. 'We hebben hem twee keer gebeld – thuis en mobiel – maar hij neemt niet op.'

'Suggereer je soms dat hij misschien niet zo ziek is als hij beweert?'

'Volgens mij zit hij thuis bij die schitterende jongedame over wie hij ons heeft verteld, die eigenlijk niet erg geïnteresseerd leek in een afspraakje met een computernerd, hoe leuk en lief hij ook mag zijn,' zei Warrick. 'Ik herinner me dat hij iets zei over problemen die ze met haar computer had en dat hij dat wellicht als excuus kon gebruiken om in haar appartement binnen te komen en haar beter te leren kennen.'

'Bedoel je beter dan die zogenaamde vaste vriendin waar hij altijd over opschept?' informeerde Nick. 'Sinds wanneer proberen nerds hun horizon met vrouwen te verbreden?'

Warrick haalde zonder commentaar zijn schouders op.

'De eeuwige optimist,' zei Catherine hoofdschuddend. 'Hebben we het adres van deze nieuwe jongedame?'

'Nee, maar ik heb de jongens op straat gevraagd naar zijn auto uit te kijken,' zei Nick glimlachend. 'Dat werkt toch het beste: een gewoon uniform dat komt aankloppen om een eind te maken aan een ontluikende relatie.'

'En nu spreekt een man met treurige, maar relevante ervaring?' Warrick glimlachte meelevend.

'CSI-oproepen kunnen absoluut een domper zetten op iemands liefdesleven,' stemde Nick in terwijl hij met een schalks pretlichtje in zijn ogen naar Willows opkeek. 'Aan de andere kant, we zijn niet allemaal...'

'Alsjeblieft, zeg. Haal het niet in je hoofd om commentaar te leveren op *míjn* liefdesleven of *míjn* vrije tijd,' waarschuwde Catherine.

Er viel een lange stilte in de vergaderruimte.

'Dit alles gaat uren kosten, als het niet dagen is. Brass gaat dit niet leuk vinden... en Gris ook niet,' zei Warrick ten slotte.

Catherine en Nick stemden daar mistroostig knikkend mee in.

'Wat gaan we hem vertellen?' vroeg Nick uiteindelijk.

De twee level-3 technisch rechercheurs keken hun zogenaamde supervisor rechtstreeks aan.

'Suggereren jullie soms dat ik door die paar dollar meer salaris die ik zo nu en dan op mijn rekening gestort krijg de boodschapper ben die moet worden geofferd?'

De twee iets slechter betaalde rechercheurs keken elkaar aan, haalden toen hun schouders op en knikten eensgezind.

'Bedankt, jongens,' mompelde Catherine. Ze keek naar haar opgewekt lachende teamgenoten en liep naar de deur. Verdomme, dacht ze. Heb ik dan nooit meer een dag vrij?

9

'Ik begrijp dat jullie me wilden spreken?' zei dienstdoend assistant special DEA-agent William Fairfax terwijl hij door de deuropening Gil Grissoms afschuwelijk ingerichte kantoor binnenstapte, waar hij Grissom en Brass aan een kleine roestvrijstalen onderzoekstafel zag zitten.

'Ja, kom erin... en o, wil je de deur dichtdoen?' voegde Brass eraan toe terwijl hij een derde stoel in de richting van de agent schoof.

Fairfax sloot de deur achter zich, ging op de aangeboden stoel zitten, keek even naar de twee gelabelde hammerless Smith & Wesson revolvers die op de onderzoekstafel lagen en keek de twee politierechercheurs schuins aan.

'Moet ik aannemen dat een van die wapens van Jane Smith is?' vroeg hij.

'Minstens één,' antwoordde Brass.

'Wat bedoel je daarmee?' vroeg Fairfax met stemverheffing, en hij kneep zijn ogen vervaarlijk samen.

'Een van die pistolen is op de plaats delict van Jane Smith ingenomen, het andere komt uit de cabine van de pick-uptruck van het slachtoffer,' zei Grissom. 'Beide wapens zijn pasgeleden afgevuurd, maar op slechts één ervan – dat van Smith – zitten helemaal geen vingerafdrukken, noch op het wapen, noch op de hulzen. En gek genoeg hebben de twee pistolen toevallig een serienummer waarvan alleen de laatste drie cijfers verschillen.'

'Interessant,' zei Fairfax op neutrale toon.

'Interessanter is nog,' voegde Brass eraan toe, 'dat die twee wapens door ATF (Bureau of Tobacco, Alcohol and Firearms) ongeveer acht maanden geleden als gestolen zijn opgegeven, uit een wapenwinkel in Yuma, Arizona.'

'Schitterend.' Fairfax knikte voldaan. 'Precies het soort bevestigend bewijs waar we naar op zoek zijn geweest.'

'O? Hoe bedoel je?' informeerde Brass.
'Omdat Jane tegen Russell had gezegd dat haar hammerless Smith een cadeautje van Ricardo Paz Lamos was,' antwoordde Fairfax achteloos. 'Uit wat jij net zei wordt duidelijk dat dat pistool één van de twee was die uit die wapenwinkel in Yuma waren gestolen, en dat is precies waar hij volgens onze informatie zo graag de grens naar Mexico oversteekt. En dat vertelt mij weer dat die vent in de truck of Paz Lamos of een van zijn handlangers moet zijn.'
'Zo kun je het absoluut uitleggen,' zei Brass, traag met zijn hoofd knikkend.
'Maar je wist dat Jane Smith heimelijk een wapen bij zich had, dat ze van een drugsdealer had gekregen... en dat vond je wel best?' vroeg Grissom.
'Ze is een informante die – om redenen waar we nu niet op zullen ingaan – min of meer bereid is om te getuigen tegen actieve leden van een uitermate gevaarlijk Mexicaans drugskartel, en dan vooral Ricardo Paz Lamos,' zei Fairfax schouderophalend. 'Dat betekent dat haar levensverwachting feitelijk nul komma nul is als ze in haar eentje opereert.'
'Fijn te horen dat je zo bezorgd bent,' merkte Brass droogjes op.
'Hé, ik probeer haar alleen in leven te houden tot we Paz Lamos en een paar van zijn belangrijkste jongens achter de tralies hebben. Wat er daarna gebeurt hangt ervan af hoe graag ze wil meewerken,' antwoordde Fairfax resoluut. 'Je weet toch hoe het werkt.'
'Inderdaad, ja,' zei Brass. 'Ga door.'
'Toen Russell me vertelde dat ze dat pistool van Paz Lamos had gekregen,' vervolgde Fairfax, ogenschijnlijk moeiteloos terugvallend in zijn ontspannen en zelfverzekerde houding, 'heb ik hem een Glock en een tijdelijke vergunning laten regelen. Het idee is steeds geweest om haar in leven te houden, en bruikbaar, voor zover dat in ons vermogen ligt, maar ik bedacht dat het waarschijnlijk in de rechtszaal niet zo'n goede indruk zou maken als zij uiteindelijk uit zelfverdediging een grote drugsdealer met een van zijn eigen wapens zou omleggen.'
'Nee, dat zal wel niet,' zei Grissom, 'maar er is nog één probleem.'

'En dat is?' vroeg Fairfax kalm.
'Dit.' Grissom reikte onder de tafel en haalde een paar snelladers tevoorschijn – elk volledig geladen met zes .38 Special kogels – en legde die bedaard op de onderzoekstafel. 'Zoals je je wellicht zult herinneren, hebben we die ter plaatse uit Janes linker en rechter jaszak gehaald.'
'Ja, en?'
'Toevallig komen de hulzen uit deze twee snelladers – Federal .38 Specials – overeen met de hulzen uit deze beide pistolen.'
'Dat zegt volgens mij niet veel,' zei Fairfax. 'Federal-munitie is overal te koop.'
'Dat is waar,' zei Grissom instemmend. 'We kunnen dit dan ook op zijn hoogst als indirect bewijs beschouwen.'
'Evenals het feit dat we geen gelijksoortige snelladers of een voorraad extra .38 Special munitie in de truck hebben aangetroffen,' voegde Brass eraan toe.
Fairfax wilde iets zeggen, maar aarzelde toen. 'Suggereren jullie dat Jane op de kampeerplek wellicht beide hammerless Smiths in haar bezit had en één ervan in de truckcabine heeft gegooid om het schieten te verdoezelen?'
'Het is maar een gedachte,' zei Brass, 'of om het schieten, of om haar eigen acties ter plaatse te verdoezelen. Ik begrijp niet zo goed waarom ze twee snelladers in twee verschillende zakken bij zich had, terwijl de truckbestuurder – zogenaamd een heel gevaarlijke drugsdealer die wat graag op de politie schiet – helemaal geen reservemunitie bij zich had voor een wapen waar hij alle vingerafdrukken van had afgeveegd.'
'Hoe zit het dan met het geweer in de truck?' vroeg Fairfax.
'Twee lege hulzen in de kamer en twee kogels in het magazijn,' antwoordde Grissom. 'Verder was er helemaal geen munitie in de truck of op zijn lichaam.'
'Oké, ik begrijp je punt,' zei Fairfax met een peinzende uitdrukking op zijn gezicht.
'En voor zover ik het me kan herinneren waren alle undercovers op de kampeerplek het erover eens dat ze Jane "O shit, daar heb je 'm!"

hoorden roepen op het moment dat de truck in het zicht kwam... wat uiteindelijk misschien het hele schietincident heeft veroorzaakt,' zei Brass. 'Dus vanuit haar standpunt kon ze wellicht gedacht hebben dat ze zichzelf moest beschermen – vooral als ze in een soort getuigenbeschermingsprogramma terecht zou komen dat afhing van haar "medewerking" met de DEA. Zoals je al zei, de kans dat ze het in haar eentje, zonder jullie, zou overleven was waarschijnlijk nagenoeg nihil.'

'Maar het hoeft niet per se haar schuld te zijn dat ze de schietpartij heeft uitgelokt, als ze werkelijk geloofde dat Paz Lamos in die truck zat,' zei Fairfax. 'Dat ze gewoon last kreeg van haar overlevingsinstincten – volkomen begrijpelijk bij een kerel als Paz Lamos.'

'Dat is zo, het is begrijpelijk als ze instinctief iets roept... en terecht,' zei Brass, 'maar dat is het daaropvolgende spervuur niet per se, dat is afhankelijk van...'

Ze werden onderbroken door een scherpe klop op de deur. Voordat de drie iets konden zeggen of doen, opende sporenanalist David Hodges de deur zo ver dat hij net zijn hoofd erdoor kon steken.

'Sorry dat ik stoor, Gil, maar je zei dat je de resultaten van het kruitrestsporenonderzoek op het slachtoffer uit de truck wilde weten zodra ze beschikbaar waren.'

Grissom wilde iets zeggen wat ongetwijfeld overeenkwam met de verbijsterde blik in zijn ogen, maar de altijd voortvarende analist sprak snel verder.

'Ik wil alleen maar even zeggen dat ik inderdaad kruitresten op de rechterhand van het slachtoffer heb gevonden, die daar absoluut terecht zijn gekomen vlak nadat hij was neergeschoten.' David glimlachte opgewekt, alsof hij op het applaus wachtte dat nu zeker zou opklinken.

'En hoe weet je wanneer dat kruit daar terecht is gekomen?' vroeg Grissom nieuwsgierig.

'Eigenlijk was het onder de microscoop vrij duidelijk dat de kruitrestbolletjes zich nog aan het vormen waren en verhardden toen ze in aanraking kwamen met de bloedspatten,' legde David uit, met

een zo mogelijk nog bredere, zelfvoldane glimlach. 'Als je rechtstreeks op het oppervlak keek, kon je zien waar...'
'Dank je wel, David,' zei Grissom terwijl hij opstond en naar de deur liep. 'Ik bekijk je fotoverslag zodra we hier klaar zijn,' voegde hij eraan toe, en hij wilde de deur voor Hodges' neus dichtdoen.
'Nog één ding,' zei Hodges snel, kennelijk onwillig om zijn plaats op het toneel op te geven tot hij fysiek werd weggestuurd. 'Wendy is net klaar met het weefsel dat onder de randen van de paddenstoelvormige kogel zat die Doc Robbins uit die maffiabaas heeft gepeuterd, en dat blijkt overduidelijk, eh, van een muildierhert te zijn.'
'Echt waar?'
Hodges knikte. 'Ik was erbij toen ze de resultaten uit de MALDI haalde. Wat een schitterende techniek is dat – dat je met massaspectrometrie de hemoglobine kunt analyseren en monsters kunt identificeren. Het verbaast me dat ik daar zelf niet aan heb gedacht. O, en Bobby heeft bevestigd dat de huls die jij op de berg hebt gevonden niet overeenkomt met het geweer uit de truck van het slachtoffer,' voegde Hodges eraan toe terwijl hij in de gaten kreeg dat Grissom hem met zachte hand door de deuropening duwde. 'En dat was ik bijna vergeten: ik heb onverbrande poederkorrels gevonden op de plakstrips van de handen van het slachtoffer. Die waren visueel en chemisch identiek aan de onverbrande korrels op het pistool dat jij en Catherine in de truck hebben gevonden. Ik neem aan dat dat genoeg zegt... Over het schieten van het slachtoffer op de undercovers, bedoel ik.'
Grissom knipperde met zijn ogen en wachtte even om dit laatste stukje informatie tot zich te laten doordringen.
'Dank je, David,' zei hij ten slotte, terwijl hij de deur stevig voor de neus van de sporenonderzoeker dichtdeed en zich tot de twee mannen in zijn kantoor wendde – die duidelijk vanuit een verschillend perspectief naar het woordverslag van de labanalyse hadden geluisterd.
'Nou, ik moet zeggen dat ik dat precies van je eersteklas labteam had verwacht: wetenschappelijk bewijs dat de man in die pick-up

op onze undercovers heeft geschoten... en dat onze verklikker geen wapen bij onze verdachte heeft neergelegd,' zei Fairfax met een voldane glimlach op zijn gezicht terwijl hij langs Grissom heen liep en achteloos de deurkruk vastpakte. 'Ik kijk uit naar een exemplaar van je eindrapport, dat het schietincident rechtvaardigt en míjn team volledig van elke blaam zuivert.' Fairfax opende de deur en liep het kantoor uit.

'Nou, ík had dit duidelijk helemaal niet verwacht,' merkte Brass vanuit zijn stoel op. Hij staarde stuurs naar de twee hammerless Smith & Wesson pistolen op de onderzoekstafel die nu niet meer van belang leken te zijn.

'Nee, dat geldt ook voor mij,' stemde Grissom in. Hij was er duidelijk niet blij mee.

'Als ik het goed begrijp,' vervolgde Brass nors, 'lijkt het erop dat, afgaand op de eerste bewijsonderzoeken, Enrico Toledano inderdaad bij een jachtongeluk om het leven is gekomen; en de persoon in de truck heeft inderdaad op de undercovers geschoten, en de twee plaatsen delict houden geen verband met elkaar. Mijn oerinstincten hadden zich kennelijk vergist. Verdomme. Misschien word ik te oud voor dit werk.'

'Ik weet zeker dat je gelijk hebt... Het bewijs probeert ons absoluut iets te vertellen. Maar ik geloof niet dat we goed genoeg hebben gelet op wat het nu feitelijk betekent. Nog niet. Misschien wil je die ontslagbrief nog een paar uur in je zak houden.'

Een kwartier later waren Grissom en Brass nog chagrijniger door wat Catherine, die klaar was met haar statusrapport, te vertellen had.

'Dus jij denkt dat we zónder metaalsporenanalyse de afstandsbepalingen van de hagelpatronen kunnen doen om de gaten in de grille en radiator te categoriseren?' vroeg Grissom.

'Nee, dat denk ik niet,' zei Catherine. 'Sara doet haar uiterste best, maar het lijkt erop dat minstens vijf van de jachtgeweerpatronen de grille en radiator rechtstreeks hebben geraakt. En de jongens met de geweren – twee staatsagenten – gingen allebei voor de carburateur en de bougies, om de motor compleet het zwijgen op te leggen, precies zoals hun is geleerd, dus die vijf patronen overlappen nogal. Bovendien heeft een van die staatsjongens – ik weet bijna zeker dat het Mace is geweest – nog twee schoten afgevuurd, aan elke kant van het motorblok één, waarbij hij op de brandplaat in het motorcompartiment richtte en op iemand die eventueel op de truckvloer lag. Dus je moet erachter zien te komen of ten minste een paar van die hagelschoten de grille en de radiator hebben geraakt. En dan tel ik de Glock kogels nog niet eens mee en evenmin de kogels uit dat M4 aanvalsgeweer die dwars door de voorkant van de truck zijn gegaan, van het motorblok zijn afgeketst en regelrecht naar de radiator zijn teruggeschoten.'

'Over hoeveel schoten hebben we het eigenlijk?' vroeg Grissom.

'Volgens zijn eigen verklaring heeft agent Tallfeather twee keer drie kogels op de voorbanden geschoten en toen nog minstens twee op het motorcompartiment – en misschien drie, dat weet hij niet meer zeker – voordat hij zijn magazijn leegschoot op de linkerkant van de cabine. Ik vermoed dat in totaal misschien een derde van de kogels die in het motorcompartiment zijn geslagen – de 9mm en de 556-en – op de radiator zijn teruggeketst. Op dit punt is het nogal moeilijk om de gaten uit elkaar te houden. En als we aan de randen de loodsporen niet van de koperen kunnen onderscheiden, denk ik dat het onmogelijk is.'

'Hebben ze geweermunitie gebruikt?'

'Ja, en de 9mm's waren allemaal hollow points.'

'Hoe slecht was de radiator eraan toe?'

'Behoorlijk,' zei Catherine. 'Ik heb er niet echt goed naar gekeken, maar er is vreselijk veel schade die door vergrote hollow points of tuimelende ricocheteffecten veroorzaakt lijkt te zijn – vooral veel gescheurd staal. Als die hittegeleidende platen echt zo erg ingedeukt of verwrongen zijn als ze lijken, krijgen we er nog een hele klus aan om de afzonderlijke geweerpatronen te isoleren.'

'Ongetwijfeld,' zei Grissom, kennelijk door iets afgeleid.

'Maar als we niet minstens twee of drie van die patronen weten te isoleren zodat we het absolute referentiepunt kunnen bepalen, ge-

loof ik niet dat we de truck ten opzichte van elke schietpositie kunnen plaatsen... wat betekent dat we het schietincident niet kunnen reconstrueren,' vervolgde Catherine.
'Dus jij vindt eigenlijk dat we andere prioriteiten moeten stellen: we zetten het Toledano-schietincident op een laag pitje en houden ons vooral bezig met het bepalen van de trajectbaanafstanden op de kampeerplek?' vroeg Grissom.
Catherine aarzelde en zei toen resoluut: 'Ja, inderdaad.'
'En ik ben het ermee eens,' voegde Brass eraan toe.
Grissom draaide zich om en keek de nog altijd stuurse politie-inspecteur nieuwsgierig aan.
'O ja? Sinds wanneer?'
'Een jager of een stroper of een moordenaar richt op een hert, doodt het en met dezelfde kogel weet hij een plaatselijke maffiabaas te raken en te doden... een kerel die heel wat meer vijanden heeft dan vrienden, en die toevallig midden in de nacht met een geweer met nachtvizier en geluiddemper op een bergtop ronddwaalt,' antwoordde Brass. 'Ik heb je eerder al gezegd dat de kans dat zoiets in werkelijkheid gebeurt hoogstonwaarschijnlijk is, om het maar zacht uit te drukken.
'Ja, dat is zo,' zei Grissom.
'Nou, wat dat betreft ben ik niet van gedachten veranderd,' zei Brass. 'Maar het probleem is dat de kans dat een móórdenaar zit te wachten tot een schichtig klein hert zichzelf in het schootsveld van zijn doelwit positioneert – zodat hij de aanslag op een ongeluk kan laten lijken – ongeveer astronomisch klein moet zijn, vooral omdat het nog niet in de verste verte ergens op slaat. Welke idioot dénkt er zelfs maar aan om zoiets uit te vogelen?'
'Geen schutter van wie ik ooit heb gehoord,' stemde Catherine in, 'en we zijn nogal wat achterlijke idioten tegengekomen.'
Grissom zweeg, instemmend knikkend.
'En we weten dat de kogel die Toledo doodde eerst het hert heeft geraakt, en dat hert lag recht in de vuurlijn naar de plek waar je die huls hebt gevonden, dus wat valt er nog over te zeggen?' Brass haalde zijn schouders op. 'Als je het zo bekijkt, lijkt een jachtongeluk

me heel wat logischer dan een miraculeus opererende huurmoordenaar.'

'Wat ben je aan het doen, Jim?' vroeg Grissom. 'Zit je nu het bewijs te verdedigen in plaats van je smerisinstincten?'

'Ik luister naar wat het bewijs me vertelt,' antwoordde Brass verbolgen. 'Heb je daar problemen mee?'

'Ja, eigenlijk wel,' zei Grissom op effen toon, 'want mijn forensisch instinct vertelt me dat er hier iets goed fout zit.'

10

Viktor Mialkovsky keek met het vaag soort nieuwsgierigheid naar het water, dat een centimeter of tien voor zijn gezicht van de smalle richel boven hem afdroop, waardoor een toevallige toeschouwer wellicht zou kunnen denken dat het hem niet kon schelen hoelang het zou duren voor het zou ophouden met regenen – wat helemaal niet het geval was.
Het kon hem zeker wat schelen, en dat had alles te maken met de wegtikkende uren voordat de dag zou aanbreken, wanneer de kans aanzienlijk zou toenemen dat hij gezien zou worden tijdens zijn vlucht de berg af. Maar een man als Mialkovsky had het weer al lang geleden leren aanvaarden voor wat het was: een onafhankelijke variabele waar hij weinig tot niets mee kon.
Maar hij kon wel wat met zijn talent om zijn omgeving zodanig aan te passen dat zijn slagingskansen optimaal werden. In dit specifieke geval had hij daarvoor twee aparte trips door de stromende regen moeten maken om de apparatuur en voorraden op te halen waarvan hij in een eerder stadium had gedacht dat die tijdens zijn vlucht overbodig zouden zijn.
Op de weg terug naar zijn schuilplaats had hij op het ruwe pad puur op zijn eigen biologische nachtzicht moeten vertrouwen. Mialkovsky was daarbij twee keer verdwaald, en om weer op koers te komen, had hij zijn toevlucht moeten nemen tot zijn kompas en de in de verte nauwelijks zichtbare lichtgloed van Las Vegas. Maar dat was goed uitgepakt, want terwijl hij zich een weg terug baande naar zijn uitkijkpost op de richel had hij een kleine grot ontdekt, die duidelijk ooit het onderkomen was geweest van waarschijnlijk een heel kleine beer. De ruimte was een kleine meter bij anderhalve meter breed, de ingang niet meer dan een ruime halve meter hoog, maar dat liep op naar 1.80 m bij de kennelijk uitgeklauwde holte achterin, ruim vier meter van de ingang.

Alles bij elkaar kwam de grillige, hoekige ruimte – eigenlijk eerder een groot uitgevallen spleet die lang geleden was ontstaan door een grondverschuiving van granietplaten en zwerfkeien dan een echte grot – de jager-doder uitstekend van pas.
Daardoor kon hij zich in de kille nachtlucht uitkleden, zich afdrogen, zijn andere – droge – stel kleren aantrekken en toen een vuurtje maken met een handvol van de special operations brandstofsticks die maximale hitte produceerden en een minimum aan CO_2 uitstootten... waarmee hij vervolgens een heerlijke maaltijd kon klaarmaken van de pakjes gevriesdroogd trekkersvoedsel uit zijn meegenomen voorraden.
Een uur later had hij zich weer verkleed in zijn iets minder vochtige Ghillie-woestijncamouflagepak – met een volle maag en al zijn apparatuur en voorraden opnieuw ingepakt voor een haastige aftocht en ontsnapping – en lag hij languit op de steenachtige grond van de spleet op een paar redelijk comfortabele dennentakken naar de naderende lichten te kijken, en te wachten tot de regen zou ophouden en hij aan zijn afdaling kon beginnen.
Alles overziend was Mialkovsky redelijk tevreden met zijn situatie. Het enige wat hem hinderde was dat hij geen antwoord had op een paar heel basale vragen:
Wie was de hispanic die op zo'n godvergeten ongelegen moment op zijn plaats delict was opgedoken?
Wat deed dat onbekende individu op zijn bergtop met een oude nachtkijker uit het Vietnamoorlog-tijdperk?
Wanneer zou de storm gaan liggen?
En waar zouden de helikopters daarna heen gaan?
Waarom waren de agenten op de kampeerplek zo uitzinnig op de hispanic gaan schieten?
Welke invloed zou het onderzoek van die plaats delict hebben op de evaluatie van zijn eigen zorgvuldig in elkaar gezette plaats delict?
Maar wat Mialkovsky bovenal wilde weten was wat Gil Grissom en zijn team op dit moment in het forensisch lab van plan waren, met God mocht weten wat voor verzameld bewijs.

11

Ballistisch deskundige Bobby Dawson en DNA-expert Wendy Simms keken beiden op toen Gil Grissom doelbewust het ballistisch vergelijkingslab, dat van oudsher verkeerd werd betiteld, binnenkwam.

'Hé, baas,' zei Bobby, en hij schoof zijn kruk bij de vergelijkingsmicroscoop vandaan zodat Grissom goed naar het bewijs kon kijken. Twee afgevuurde koperen patroonhulzen waren duidelijk zichtbaar onder het reflecterende licht van de tweedelige preparaathouder. 'Ik wilde net de kogel van het Toledano-schietincident onder de microscoop leggen. Sorry dat het zo lang duurde, maar we moesten die champignonvormige randen heel voorzichtig terugtrekken om bij dat weefsel te kunnen komen, en dat wilde ik met Wendy als eerste doen, zodat zij aan de identificatie kon gaan werken.'

'Wat fantastisch uitkwam,' zei de DNA-analiste, 'want daardoor had ik meer dan genoeg tijd om een paar andere tests te doen terwijl de MALDI aan het opwarmen was.'

'Ja, David heeft me je resultaten verteld,' zei Grissom.

'O ja?' Even flitste er een teleurgestelde blik over Wendy's mooie gezichtje terwijl ze over Grissoms schouder keek en Hodges bij zijn werktafel zag grijnzen.

'Ja, en je moet weten dat ik het enorm waardeer dat je zo snel was,' zei Grissom, zich niet bewust van de korte emotionele reactie van zijn jonge onderzoekster. 'Daardoor gaan we misschien onze prioriteiten naar een andere zaak verleggen die, naar nu blijkt, veel zwaarder weegt.'

'O, nou ja, eh... oké. Blij dat ik heb kunnen helpen.'

'Je kunt ons nog veel meer helpen als je even een snelle blik werpt op al die kruitbewijssporen en de bloedmonsters die Catherine uit de cabine en van de vloer van de pick-up heeft verzameld,' voegde Grissom eraan toe. 'Ik wil met name graag weten of er in of op die truck ook maar het kleinste spoortje cocaïne te vinden is... en of er ander bloed in die truck te vinden is dat niet van ons dode slachtoffer is.'

'Ja, natuurlijk,' zei Wendy, en ze wist een redelijk getrouwe kopie van een opgewekt glimlachje op haar gezicht te toveren. 'Ik ga er meteen aan beginnen.' Ze haastte zich door de deur van de ballistische ruimte naar haar DNA-lab, en bleef alleen even staan om Hodges een nijdige blik toe te werpen.

Bobby Dawson, een doorgewinterde veteraan als het ging om de bittere relaties en conflicten die het forensisch laboratorium van de politie van Las Vegas zo nu en dan teisterden, had grimmig en zonder commentaar het hele Wendy-en-Davidtafereel gevolgd.

'Ik ben bijna zover om de kogel van Toledano te vergelijken met de kogel uit het testschot van het geweer dat in die pick-up is gevonden,' zei hij kalm. 'Maar voor ik dat ga doen, moet ik je een paar dingen vertellen over die patroonhuls die je op de Sheep Range hebt gevonden.'

'Misschien wil je eigenlijk liever die Toledano-kogelvergelijking naar een later moment uitstellen,' opperde Grissom. 'David zei dat je al had vastgesteld dat die huls niet uit het geweer uit de truck komt.'

'Hij is me de stadsomroeper wel, hè?' Bobby rolde met zijn ogen. Nadat hij had gehoord wat er met Wendy's voorlopige analyseresultaten was gebeurd, had hij niets anders van de zichzelf ophemelende sporenexpert verwacht. Maar hij hoefde dan ook niet zo nodig een wit voetje bij Grissom te halen als de andere twee, jongere, labonderzoekers.

'Ik weet zeker dat hij alleen maar efficiënt probeerde te zijn, uit naam van het lab in het algemeen,' opperde Grissom, eindelijk de niet al te subtiele ondertoon oppikkend.

'Daar twijfel ik geen moment aan,' zei Bobby glimlachend en hij haalde inschikkelijk zijn schouders op. 'Maar heeft hij ook verteld wat ik heb ontdekt over die specifieke patroonhuls?'

'Eh, nee, eigenlijk niet.'

'Misschien is het niks,' vervolgde Bobby op zijn professionele,

rustige toon, 'maar het feit dat een .308 Winchester huls bíjna identiek is aan een 7.62 NATO-kogel kan in dit geval misschien wel iets te betekenen hebben.'
'Hoe dan?' vroeg Grissom, oprecht nieuwsgierig.
'Onder ballistisch experts is het eigenlijk al een hele tijd onderwerp van gesprek en het komt op het internet regelmatig aan de orde. De kamers van de legergeweren die voor NATO-kogels worden gemaakt zijn precies 4,1783 cm lang, terwijl de kamers van burgergeweren met de .308 Winchester patroonhuls 4,1453 cm lang zijn.'
'En moet dat iets betekenen?'
'In dit geval misschien wel,' zei Bobby. 'We hebben het over een verschil van zo'n drie honderdste millimeter. Maar als je een .308 Winchester kogel wilt afvuren – met name eentje die met een andere kwaliteit buskruit dan normaal is geladen – met een geweer met een kamer voor de iets langere 7.62 NATO-kogel, dan krijg je een extreme druk op de koperen huls van het burgerwapen, wat tot gevolg kan hebben dat de kogel de huls eerder afgooit, waardoor er een interessante vervorming op de lege huls ontstaat.'
'En dat heb je allemaal gezien op de huls die ik boven op de berg heb gevonden?'
'Precies. De herladen en daarom geüpgradede .308 huls die jij hebt gevonden is bijna zeker met een 7.62 legergeweer afgevuurd. En te zien aan de uitwerpstrepen denk ik zelfs dat het om een specifiek militair sluipschuttersgeweer gaat. Daar weet ik meer over als ik nog een beetje verder graaf,' legde Bobby uit. 'Meestal is het behoorlijk stom als een amateur de kogel op die manier zou herladen, afhankelijk van de leeftijd en betrouwbaarheid van het geweer in kwestie. Maar feitelijk zou het wel eens een slimme truc kunnen zijn die een ballistisch expert op het verkeerde been zou kunnen zetten – afhankelijk van wat hij of zij met de kogel wil, natuurlijk.'
'Bedoel je te zeggen dat een militair sluipschutter Toledano zou hebben doodgeschoten, per ongeluk of niet, in een federaal wildpark?'
'Wat ik bedoel te zeggen is dat het een interessante, hoewel vergezochte mogelijkheid is,' zei Bobby. 'Het testterrein van het leger ligt

vlak naast het park, en het zou me helemaal niet verbazen als een buitengewoon agressieve pupil – of wie weet, misschien zelfs een instructeur – toevallig midden in de nacht op de Sheep Range ronddwaalt zonder pottenkijkers in de buurt. Het is wel een heel geschikte plek om, eh, bijvoorbeeld hinderlaagtechnieken te oefenen, vind je niet? Een beetje illegaal jagen... misschien een extraatje om de kant-en-klare veldrantsoenen aan te vullen?'
'Maar waarom zou je zo veel moeite doen om een herladen burgerkogel te gebruiken, als...?' Grissom knipperde plotseling begrijpend met zijn ogen. 'Aha.'
'Als je buiten de basis met een legerwapen wordt betrapt, maakt het niet uit wat je doelwit is en zelfs als je informeel toestemming hebt gekregen van de sergeant of commandant, heb je echt een heel groot probleem,' zei Bobby. 'Dan mag je waarschijnlijk de rest van je carrière wachtlopen in de gedemilitariseerde zone van Korea, als er tenminste niet een mooi oorlogsgebied beschikbaar was waar je als schietschijf mag fungeren. Dus met je illegale praktijken, wat die ook zijn mogen, loop je op de Sheep Range echt niet te koop door legermunitie te gebruiken.'
'Nee, dat zal wel niet,' zei Grissom instemmend.
'Maar er kan ook nog een andere reden zijn om een speciaal herladen burgerkogel te gebruiken – een heel praktische. De schutter wilde misschien dat zijn kogel zich op een heel specifieke manier zou gedragen,' zei Bobby terwijl hij met zijn in plastic handschoen gestoken vinger tegen het nu niet-vergrote projectiel tikte, dat op de prop bloederig gaas op zijn microscoopplaatje lag.
'Ga door.'
'Op dit moment kan ik het niet met zekerheid zeggen, omdat ik nog steeds vergelijkingsmateriaal aan het verzamelen ben, maar ik vermoed dat deze kogel een Nosler Ballistic Tip is. Die is speciaal ontworpen voor een diepe penetratie en maximale afremkracht – het soort projectielen dat je voor het echt zware jachtwerk in een extra snelle huls laadt, als je tenminste weet wat je doet. Maar volgens mij doet dat er in dit geval niet toe.'
'Waarom niet?'

'Nou, om te beginnen zou een schutter die kennis van zaken had nooit een .308 high-energy huls gebruiken om een klein muildierhert om te leggen. Dat zou complete overkill betekenen... en niet bepaald iets waarover de schutter tegen zijn maatjes wil opscheppen. En geloof me, die schutters vinden niets heerlijker dan praten over wat ze met hun tophulzen uitspoken.'
'Dus je verwacht niet dat deze specifieke huls onderwerp van gesprek bij de open haard zal zijn?' vroeg Grissom.
'Absoluut niet,' zei Bobby resoluut. 'Of omdat de lading niet heeft gewerkt zoals gepland, of omdat die juist precies heeft gewerkt zoals gepland... Dat hert in het lijkenhuis? Doc Robbins heeft me de wond in zijn hals laten zien en foto's van Toledano's wond voordat ze autopsie op hem gingen doen.'
'En?'
'Als Toledano's dood het gevolg was van een normaal jachtongeluk dat op relatief korte afstand plaatsvond, zoals jij en Brass in jullie rapport hebben beschreven, dan had die kogel' – Bobby wees naar de opengescheurde geweerkogel naast zijn vergelijkingsmicroscoop – 'of het hoofd van de man weggeblazen of op z'n allerminst heel veel meer schade aangericht dan ik op die foto's heb gezien. Iets heeft die kogel afgeremd en laten tuimelen, maar dat was niet Toledano's vest, en ik betwijfel ten zeerste of het alleen de keel van dat hert is geweest... tenzij de kogel om te beginnen al heel traag was.'
'Wat wil je hiermee zeggen?'
'Misschien een tweede geluiddemper,' antwoordde Bobby. 'Maar dan heb ik het niet over een halfbakken apparaat dat door een of andere zogenaamde wapensmid in elkaar is gezet – zoals een demper die na het eerste schot vanbinnen al uit elkaar valt, zo eentje die Toledano op zijn geweer had zitten.'
'Had Enrico Toledano een goedkope geluiddemper op zijn geweer? Waarom zou hij dat doen?'
'Waarschijnlijk wist hij er te weinig van en realiseerde hij zich niet dat hij rotzooi had gekocht, dat denk ik tenminste. Wil je echt een jongen van Vuurwapens over zijn lievelingsonderwerp laten doorpraten?'
'Ik waag het erop,' zei Grissom. 'Ga door.'

'Ik heb je gewaarschuwd,' zei Bobby schalks. 'Oké. Om te beginnen was de demper op Toledano's geweer slechts op één punt aan de loop bevestigd – door middel van een soort schroefdraad aan het monduiteinde. Elke professionele geluiddemper wordt op twéé punten aan de geweerloop bevestigd. Normaal gesproken wordt de demper in de loop geschoven met een soort ringklem en daarna schroef je hem aan het uiteinde van de loop vast. Daarmee is de uitlijning langs de hele kogelbaan stabiel.'

'Oké...' zei Grissom.

'En er is nog iets met Toledano's geluiddempersysteem wat aangeeft dat zijn fabrikanten of leveranciers prutsers waren,' vervolgde Bobby. 'De schroefdraad aan het eind van zijn geweerloop was verkeerd om gefreesd.'

'Meen je dat nou?'

'Absoluut.' Bobby knikte ernstig. 'Wanneer de draaiende kogel de geweerloop verlaat en in de geluiddemper terechtkomt, gaat hij door zijn massa en rotatie als het ware wringen – een beetje maar, mits de demper goed in lijn is gebracht, maar heel veel als dat niet het geval is. Dat is om één simpele reden cruciaal: als de schroefdraad in de mond in tegengestelde richting ten opzichte van de rotatierichting van de kogel is gefreesd, dan wordt de geluiddemper door de wringkracht in de geweerloop vastgeklemd. Maar als de schroefdraad met de kogeldraairichting mee gefreesd is, dan raakt de geluiddemper bij elk schot losser.'

'Dat klinkt niet best.'

'Nee, dat is het ook niet,' zei Bobby, 'en zeker niet als de geluiddemper uit lijn raakt en gaat wiebelen op het moment dat het volgende schot wordt afgevuurd. Dat is dé manier om jezelf een gezicht vol granaatscherven te bezorgen. Maar dat zou in Toledano's geval niet zijn gebeurd, want zijn waardeloze geluiddemper zou vóór hij van het geweeruiteinde zou zijn gevallen vanbinnen al lang zijn losgetrild.'

'Wat betekent dat dan voor ons?' vroeg Grissom, nu echt nieuwsgierig.

'Volgens mij is het van belang te weten dat deze kogel, waarmee

Toledano is gedood' – hij wees opnieuw naar de in het bloederige gaasje gewikkelde kogel – 'geen beschadiging vertoont die je zou verwachten bij een asymmetrische of slechte uitlijning. Als die kogel door een geluiddemper was vertraagd, dan moet die heel zorgvuldig gefreesd en met de hand gemaakt zijn, zoals de exemplaren die de Navy SEALS of de DELTA-teams gebruiken.'
'Dus zijn we weer terug bij een legerschutter – iemand van het militaire testterrein die door het wildpark dwaalt, en niet betrapt wil worden door een op trofeeën beluste jager?'
'Hé, dat moet je echt niet aan mij vragen.' Bobby spreidde zijn handen in spottende overgave. 'Maar ik kan je wel vertellen dat vanuit ballistisch én jagersoogpunt ik geloof dat die hele "schietongeluk"-theorie klinkklare onzin is. Ik weet zo gauw niet waarom, maar zo is het wel.'
'Kun je me vertellen of deze kogel door een fatsoenlijke geluiddemper is gegaan voordat hij het hert én Toledano raakte?'
'Dat weet ik niet,' gaf Bobby eerlijk toe. 'Ik zou behoorlijk wat tijd met de elektronenmicroscoop moeten doorbrengen om dat vast te stellen.'
'Dus kort gezegd wil je liever verder werken aan de Toledano-schietpartij... Begrijp ik dat goed?'
'Ja, sir, zo is het,' zei Bobby knikkend.
Grissom zuchtte. 'Dit helpt bepaald niet bij het opnieuw vaststellen van onze prioriteiten.'
'Nee, dat zal wel niet.'
'Hoe zit het met al die overeenkomsten tussen kogels en hulzen, die we nodig hebben bij het reconstrueren van het schietincident bij de truck?'
'Nou, alle schutters zijn het redelijk eens over welk wapen ieder van hen heeft gebruikt, evenals het aantal kogels dat ze hebben afgevuurd. Dus is het doel van de reconstructie wellicht om hun relatieve posities en de timing van de schoten te bepalen. Als we zover zijn, kan een voorlopige indruk van het schietmechanisme, geïdentificeerd door slechts één onderzoeker, je waarschijnlijk alles over de aanval vertellen wat je moet weten, en wij kunnen altijd samen

de twijfelachtige gevallen oplossen. Ik weet dat Catherine met al het bewijs van de patroonhouders en hulzen hierheen komt. Zij en ik – en misschien Nick ook, als hij beschikbaar is – kunnen die vraagtekens redelijk snel de baas als we een tijdje ongestoord onze gang kunnen gaan.'

'Ik ga kijken wat ik kan doen,' beloofde Grissom. Hij liep naar de deur, met zijn gedachten alweer ergens anders.

Bobby Dawson liep achter Gil Grissom aan naar buiten en bleef bij labonderzoeker David Hodges staan, die er alles aan deed om de indruk te wekken dat hij het druk had, en tegelijk verstrooid te kijken.

'Hoe gaat het, kerel?' vroeg Bobby terwijl hij met zijn dikke hand op Davids magere schouder sloeg.

'O, eh… hé, jij bent van Vuurwapens,' zei David terwijl hij zijn ogen angstig opensperde. 'Waarschijnlijk heb je nu mijn labjas met kruitresten besmet. Nu moet ik een schone aantrekken.'

'Luister,' zei Bobby, en hij boog zich naar voren om iets in het oor van de zichtbaar nerveuze analist te fluisteren, 'als je ooit nog eens tegen Grissom of welke andere technisch rechercheur ook uit de school klapt over mijn bevindingen – of over die van Wendy – dan zal ik er persoonlijk voor zorgen dat je ook schoon ondergoed mag aantrekken.'

Grissom botste in de gang letterlijk tegen Catherine op en sloeg bijna de doos met afgevuurde test- en geweerhulzen uit haar handen.

'Wat is er aan de hand?' Catherine staarde naar de glazige ogen van haar chef. 'Je lijkt wel… van streek… of zoiets?'

'Ik heb net van Bobby een lesje in deugdelijke geluiddempers gekregen,' zei Grissom afwezig.

'O ja?' De blik op Catherines gezicht hield het midden tussen medeleven en wanhoop – ze geloofde niet dat ze ooit zo veel over vuurwapens te weten wilde komen, om die reden had het forensisch lab technisch specialisten in dienst. 'Vond je het… nuttig?'

'Eigenlijk wel, geloof ik,' antwoordde Grissom, 'maar nu ben ik nog verder van huis dan toen ik naar hem toe ging, en ik weet niet precies waarom.'

'Dat klinkt weinig bemoedigend.' Catherine keek met een gevoel van naderend onheil naar de doos testhulzen in haar handen.

'Nee, inderdaad,' zei Grissom instemmend. 'Deze twee zaken lijken in alles in elkaar over te lopen, te beginnen met de ultieme basisvraag of ze wel of niet door een gemeenschappelijke verdachte, slachtoffer of bewijs met elkaar in verband staan.'

'Dan denk ik,' zei Catherine behoedzaam, 'dat we een startpunt nodig hebben... eentje waar we het allemaal over eens zijn?'

Langzaam trok een begrijpend glimlachje over Grissoms gezicht. 'Je hebt gelijk. Dat is precíés wat we nodig hebben.' Hij keek de gang rond alsof hij zich niet meer helemaal kon herinneren waar iedereen of alles was. 'Waar is Nick?'

'Ik, eh, denk dat hij nog steeds met Warrick in de vergaderruimte zit.'

'Mooi,' zei Grissom. 'Ik geloof dat het tijd wordt dat we zijn talenten beter gaan inzetten.'

12

Toen Gil Grissom de vergaderruimte binnenkwam, trof hij de computer- en audiovisueel technicus van het forensisch lab, Archie Johnson, aan voor Nicks laptop, terwijl Warrick over zijn schouder meekeek.

'Waar is Nick gebleven?' vroeg Grissom, gefrustreerd de ruimte rondkijkend. 'En wat doe jij hier, Archie? Ik dacht je je ziek had gemeld.'

'Nou, eh...'

'Kennelijk voelde Archie zich plotseling een heel stuk beter toen hij zich ten slotte realiseerde dat de jongedame over wie we het eerder hadden gehad toch niemand nodig had voor háár computer,' bracht Warrick in het midden. 'Wat betekent dat hij de dans ontsprongen is, om het zo maar uit te drukken.'

'O?' Grissom trok nieuwsgierig een wenkbrauw op.

'Het blijkt dat de jonge vrouw een nog jonger broertje heeft dat wel een computerprobleem had en er kennelijk geen been in zag om een grappige en lieftallige computernerd te daten,' voegde Warrick er behulpzaam aan toe terwijl hij Archie op de schouder klopte.

'O,' zei Grissom nogmaals, nu met een andere intonatie.

'Hélemaal verkeerd begrepen,' zei de computertechnicus resoluut, Grissom ten slotte aankijkend. 'Niet dat ik er iets tegen heb wat mensen... eh... met elkaar willen doen, hoor,' haastte hij zich erbij te zeggen. 'Ik probeerde alleen... eh... beleefd en gevoelig te zijn, en ik vermoed dat ik niet...'

'... onbeleefd en ongevoelig genoeg was?' Grissom trok opnieuw een wenkbrauw op.

'Probeer de volgende keer de bijna-getemde-Neanderthalerbenadering,' raadde Warrick aan. 'Zo nu en dan is die heel effectief bij van die echt speciale vrouwen, en als het niet zo is, dan vindt het publiek het absoluut geweldig.'

'Ik denk dat we een keer een stafbespreking moeten hebben over ongeoorloofd afwezig-zijn,' merkte Grissom op.
'Sorry, Gil. Het zal niet meer gebeuren... maar nu we het toch hebben over iets aan de praat krijgen,' zei Archie, die zielsgraag van dit onderwerp af wilde, 'ik heb Nicks programma zover gekregen dat het op de plaatsbepalingsstippen reageert.'
'O ja? Hoe heb je dat voor elkaar gekregen?'
'Dit ga je prachtig vinden, Gil,' beloofde Warrick terwijl hij de computertechnicus nogmaals op de schouder klopte. 'Kom op, Archie, vertel het 'm.'
'Ik... eh... heb ervoor gezorgd dat de sensormodule... stuk voor stuk de plaatsbepalingsstippen op het voertuig en de kegels kan herkennen en hun relatieve positie ten opzichte van elkaar kan onthouden door... hun kleur te veranderen,' zei Archie nu met een vuurrood gezicht.
'Moet je kijken,' zei Warrick, en hij reikte langs Archies schouder en drukte op een van de functietoetsen.
Onmiddellijk lichtte het middengedeelte van de muur tegenover hen op met een 3D-laserscanbeeld van de plaats delict met uitzicht op de linkerkant van de truck.
'Felroze?' Grissom wist niets anders te zeggen.
'Ik heb eerst alle primaire kleuren geprobeerd,' zei Archie snel, 'en er is geen goede reden – althans niet een die ik kan bedenken – waarom de sensormodule sowieso kleuren zou moeten zien. Maar de verkoper kwam met die suggestie, dus probeerde ik de primaire kleuren, gewoon om te kijken wat er zou gebeuren. En omdat dat niet opschoot, heb ik vervolgens het hele spectrum op de module losgelaten, uit een soort ingeving, en felroze leek... te werken.'
'Duidelijk nog een gevoelige kwestie.' Warrick probeerde zijn gezicht in de plooi te houden. 'Ik weet niet hoe je het doet, Arch, maar je hebt echt talent om dingen aan de praat te krijgen.'
'En Nick?' vroeg Grissom, tot de conclusie komend dat de jonge computertechnicus genoeg geleden had – althans voorlopig.

Hij bedacht ook dat hij uiteindelijk met een speciaal doel naar de vergaderruimte was gekomen.
'Nick is weer naar de garage om Sara een handje te helpen,' zei Archie. 'En van dat telefoontje heb ik echt spijt. Het zal niet meer gebeuren, dat beloof ik. En ik zal proberen of de sensormodule een andere... eh... kleur herkent. Ik realiseer me dat felroze plaatsbepalingsstippen op een schietreconstructie lay-out een beetje... *too much* is voor een rechtszaalpresentatie.'
'Of misschien juist niet... genoeg?' opperde Grissom schouderophalend. Hij draaide zich om en liep naar de deur.
Hij was halverwege de deuropening, opnieuw diep in gedachten verzonken, toen hij plotseling stilstond en zich weer omdraaide.
'Bedankt dat je ons weer op het spoor hebt gezet, Archie,' zei hij resoluut. 'Dat waardeer ik erg.'
'Ik ben blij dat ik...' begon de computertechnicus, toen Grissom hem onderbrak.
'En wanneer jij en Warrick al die laserscans en digitale foto's in het programma hebben ingevoerd, wil ik graag dat je kijkt naar een paar foto's die ik op de berg heb genomen. Ik heb nog een 3D-trajectprobleem dat je moet helpen oplossen.'

Grissom liep naar de garage. De kiem van een idee begon zich stevig in zijn achterhoofd te wortelen toen hij naar het analytisch chemisch lab keek en Sara met een paar monsterbuisjes in haar hand voor de röntgenfluorescentiespectrometer zag zitten.
'Hoi, hoe gaat het?' vroeg hij terwijl hij naast haar ging staan en haar zacht op de schouder klopte.
'Uitgeput, uitgehongerd, chagrijnig... en nog een paar dingen die we beter buiten het kantoor kunnen bespreken,' antwoordde Sara terwijl ze over haar schouder terug keek en Grissom een vermoeid maar liefdevol glimlachje schonk.
'Ik dacht dat jij Gregs werk had overgenomen, omdat je je arm had bezeerd,' zei Grissom ongemakkelijk terwijl hij de instrumentkamer rondkeek om zich ervan te verzekeren dat ze alleen waren. Hij vroeg zich af of hij nog wel enig idee had wie in deze zaak waaraan werkte.

'Dat heb ik ook gedaan,' zei Sara, terwijl ze de buisjes op de labtafel zette. 'Maar toen Catherine brigadier Gallager liet testschieten, ging dat razendsnel. Dus heb ik Greg weer aan het werk gezet met de grille en radiator zodat ik deze metaalsporen, die ik van de inslaggaten heb genomen, door de spectrometer kon halen. Als ik erachter kan komen welke gaten door de overwegend loden hagelkogels zijn veroorzaakt en welke door de kogels met koperen hulzen, dan denk ik dat we een goede kans hebben om de individuele geweerschotpatronen te isoleren.'
'Echt waar?'
'Ik denk het wel,' zei Sara, terwijl ze nog een paar buisjes oppakte met in elk ervan drie grijze hagelkogels. 'We hadden nog een doorbraak met de geweermunitie. Weet je nog die twee dozen met hagelkogels waarmee de staatsnarcotica-agenten hun zakken hadden gevuld voordat ze hun geweren laadden... die met twee verschillende partijdatums?'
'Ja?'
'Nou, het blijkt dat de hagelkogels in de later gedateerde doos bijna vier procent antimonium bevatten – dat is een nieuwe kogelsamenstelling die de dienst alleen aan wetshandhavers verstrekt, daar zijn ze heel strikt in, het zijn hardere kogels – terwijl de kogels uit de eerdere doos slechts sporen antimonium bevatten.'
'En hoeveel bekende standaardkogels heb je nu getest?'
'Steeds drie hagelkogels uit elk schot, willekeurig geselecteerd uit de overgebleven munitie uit beide dozen.'
Grissom dacht een ogenblik na. 'En wat is je standaardafwijking tot nu toe?'
'0,02 procent.'
'Ga er maar mee door,' zei Grissom met een glimlach. 'Hoelang duurt het voor je al die monsters hebt verwerkt?'
Sara trok een gezicht. 'Misschien nog een uur of drie, als alles goed gaat. Een simpel karweitje, maar het gaat traag. We zouden nu die autosampler goed kunnen gebruiken.'
'Ik zal Ecklie meteen aan zijn jasje trekken dat hij ons aanvraagformulier al drie maanden in een la heeft liggen,' beloofde de CSI-

chef. 'Maar je weet hoe hij denkt over autosamplers in het algemeen.'

'"Hoe kunnen we erop vertrouwen dat een machine nooit een fout maakt terwijl ze door mensen zijn geprogrammeerd?"' citeerde Sara uit haar hoofd. 'Blijft hij daar nou bij?'

'Waarschijnlijk wel,' zei Grissom. 'Maar misschien is dat ook wel goed. Er is een hoop voor te zeggen om terug te gaan naar de basis.'

13

Toen Grissom uiteindelijk bij de garage aankwam, trof hij Greg op zijn knieën voor de truckgrille aan, tegenover wat er inmiddels uitzag als een stekelvarken van houten pennen, terwijl Nick een digitale camera op een statief aan het monteren was.

'Hebben jij en Warrick soms meer foto's van de truck nodig?' vroeg Grissom.

'Nou, we hebben betere foto's onder gecontroleerde lichtomstandigheden nodig,' zei Nick. 'Warrick en ik zijn er nagenoeg van overtuigd dat door de ongelijke belichting uit de flitsers en koplampen ter plaatse – en dan vooral de reflecties – het programma de referentiepunten of verkeerd combineert of helemaal negeert.'

'En om als het even kan zo snel mogelijk van Archies kleurenschema af te komen?'

'Dat ook,' gaf Nick glimlachend toe. 'Maar in mijn ogen werkt eenvoud meestal het best.'

'Dat heb ik ook tegen Sara gezegd,' antwoordde Grissom afwezig terwijl hij even achter Greg bleef staan en toekeek hoe de jonge rechercheur probeerde uit te vinden welke van de vele gaten in de radiator overeenkwam met dat in de grille, waar ze al een pen in hadden gestoken.

'Heeft ze je al verteld over de positiefout die we bij agent Grayson hebben ontdekt?' Greg keek van zijn werk op en knipperde met zijn ogen alsof hij zich nu pas realiseerde dat Grissom in de garage stond.

'Nee,' antwoordde Grissom. 'Wat voor fout?'

'Nou, ik neem aan dat het niet zozeer een fout was, meer dat de jongens zich gewoon niet realiseerden waar hij stond toen hij begon te schieten. Het was helemaal niet zo duidelijk te zien aan de stof- en zandafdrukken rondom die rots, en ik vermoed dat niemand echt heeft gezien waar hij op uit was omdat die grote zwerfkei in de weg stond.'

'Dus niemand anders kon Graysons positie bevestigen?'

'Nee, we moesten op zijn herinnering afgaan, wat op dat moment wel oké leek, omdat hij zich zo coöperatief opstelde,' zei Greg. 'Maar toen ik Catherine de resultaten van de uittredepatronen van alle wapens gaf, zei ze dat Grayson niet kon hebben gestaan waar hij naar eigen zeggen tijdens het schieten stond, want de vier uitgeworpen hulzen uit zijn Sig konden dan niet op de plek liggen waar ze zijn gevonden.'

'En waar was dat?' vroeg Grissom.

Greg dacht een ogenblik na. 'Hij stond op het open terrein en tijdens het schieten trok hij zich steeds verder terug naar de "mannengemak"-zwerfkei.'

'In plaats van onmiddellijk dekking te zoeken, wat een veel logischer optie zou hebben geleken als hij een gevaarlijke drugsdealer verwachtte,' legde Grissom uit.

'Ik heb hem een paar minuten geleden mobiel gebeld en de vraag voorgelegd,' antwoordde Greg. 'Hij zei dat het allemaal erg snel in zijn werk ging en dat zijn geheugen hem wat in de steek liet. Maar hij weet zeker dat hij zijn gulp dichtritste toen hij de truck hoorde aankomen, vervolgens naar de zandweg was gelopen om te kijken wat er aan de hand was... en naar zijn pistool had gegrepen toen hij in de koplampen van de truck gevangen werd... en pas op de banden was gaan schieten zodra de truck zwenkte en regelrecht op het kamp afreed.'

'Daar zou wat in kunnen zitten – over dat geen dekking zoeken – omdat hij zich minder direct bedreigd voelde dan de anderen toen de truck eenmaal van hem afzwenkte,' zei Grissom, voornamelijk tegen zichzelf, terwijl hij naar de platte banden van de opgetakelde truck keek. 'In plaats daarvan suggereerden zijn bewegingen dat hij van slag was omdat hij op een onbewaakt ogenblik werd betrapt en dat probeerde goed te maken.'

'En omdat de truck al langs hem was toen hij begon te schieten,' zei Nick zacht, het begon hem te dagen waar Grissom naartoe wilde, 'moet hij heel beperkt zijn geweest in zijn doelwit. Anders zou hij vanuit zijn positie regelrecht in het kamp hebben geschoten.'

'Wat zijn mikpunten waarschijnlijk beperkte tot de achterbanden, en dan nog maar heel even,' voegde Grissom eraan toe.
'Dat moet geweest zijn toen hij en de truck grofweg op één lijn stonden met de "vrouwengemak"-zwerfkei... wat ook betekent dat Jane Smith wel eens door een kogel van Grayson kan zijn geraakt,' besloot Nick glimlachend.
'Precies,' zei Grissom. 'Kun je die banden weer oppompen?'
'De voorbanden niet,' antwoordde Nick. 'Die zijn aan flarden. Ik krijg die stukken nooit meer zover dat ze de standaard wieldruk aankunnen. Maar in de achterste zitten maar een paar gaten. Ja, absoluut, die kan ik wel plakken en oppompen. Maar hoe gaan we...?'
'Ik heb een 2D-overzichtsscan nodig van het kamp waarop de truck eerst van de hoofdweg kwam en toen naar het kamp afsloeg, en waar hij tot stilstand kwam,' zei Grissom koortsachtig nadenkend, 'evenals de begin- en eindpositie van alle zes schutters... allemaal op die muur geprojecteerd.' Hij wees op de kale witte muur aan de overkant van de garage.
'Meer hebben we nu niet nodig,' zei Grissom; 'dat en een rekenmachine of laptop waarmee we een paar trig-functies kunnen uitvoeren.'
Nick zweeg even. 'Gaan we dit met trigonometríé oplossen?'
'Terug naar de basis,' zei Grissom. 'Weten jullie nog hoe dat werkt?'
'Ik... eh, denk dat ik Warrick erbij haal,' zei Nick terwijl hij zijn mobiel pakte. 'Ik ben met bandenlichters een stuk beter dan met middelbareschool-wiskunde.'
'Terwijl jullie daarmee aan de gang gaan, ga ik terug naar het lab. Er is iets met die resultaten wat gewoon niet klopt.'
Toen Grissom het ballistisch vergelijkingslab in liep, zag hij Catherine en Bobby Dawson – beiden gekleed in witte labjas – gebogen over een paar vergelijkingsmicroscopen die een meter van elkaar op een lage labtafel stonden. De rest van het tafeloppervlak lag bezaaid met rijen gemarkeerde enveloppen en buisjes, en hun eigen aantekeningen.
'Wil ik weten hoe het ervoor staat?' vroeg Grissom.

'Kom je helpen?' vroeg Catherine terwijl ze haar ogen op de dure microscoop gefixeerd hield.
'Nee, niet echt,' gaf Grissom toe.
'In dat geval gaat het pijnlijk langzaam,' zei Catherine met een zucht terwijl ze de driedimensionale positie van de kogel aanpaste die op het linker oculairplaatje van de microscoop lag.
'Ik wil jullie allebei iets vragen.' Grissom vond het geen punt dat geen van beiden naar hem keek. 'Heeft een van jullie een kruitafstrijk gemaakt van het pistool dat we in de truck hebben gevonden?'
'Ik niet,' zei Catherine.
'Ik ook niet,' echode Bobby.
'Dan heeft David die monsters waarschijnlijk genomen,' concludeerde Grissom, hij klonk bepaald niet blij met die wetenschap.
'Is dat een probleem?' Catherine draaide zich eindelijk van de microscoop weg om Grissom nieuwsgierig aan te kijken.
'Dat weet ik niet zeker,' antwoordde Grissom. 'Hij kwam naar mijn kantoor toen ik met Brass en Fairfax in gesprek was en vertelde ons dat hij had bevestigd dat het slachtoffer in de truck een wapen had afgevuurd vlak voordat hij werd neergeschoten, gebaseerd op de interactie tussen bloeddruppels en afkoelend kruit.'
'Klinkt als een knap staaltje werk,' zei Catherine.
'Dat dacht ik ook,' zei Grissom knikkend. 'Maar toen zei hij dat hij onverbrande kruitkorrels van de hand van het slachtoffer had geïdentificeerd, die visueel en chemisch identiek waren aan de onverbrande korrels die hij op de hammerless Smith & Wesson uit de truck had aangetroffen. Dus nu is Fairfax ervan overtuigd dat we zijn pseudokoopteam van alle blaam hebben gezuiverd.'
'Loopt wel een beetje te hard van stapel, hè,' zei Bobby.
'Wie, Fairfax?'
'Nou, ja, hij ook, maar ik heb het eigenlijk over David. "Visueel identiek" zegt niet zo veel als je bedenkt dat de meeste rookloze soorten buskruit ter wereld worden gemaakt van slechts een half dozijn mogelijke kernkorrels. En "chemisch identiek" hoeft ook niet veel te zeggen, afhankelijk van hoe ver hij met zijn analyse is gegaan. Jezus, je zou hetzelfde kunnen zeggen over een paar cakejes

– die mogen dan visueel en chemisch "identiek" zijn maar dan hoeven ze nog niet uit dezelfde bakkerij te komen, of zelfs uit dezelfde staat, laat staan dat ze hetzelfde verpakt zijn.'
'Dus jij zegt dat hij het over soortelijke – in tegenstelling tot individuele – kenmerken had moeten hebben?' vroeg Grissom, kennelijk bevestiging zoekend voor iets wat hij al in gedachten had.
'Tenzij jullie een schitterend nieuw buskruitanalyseapparaat hebben waar ik nog nooit van heb gehoord,' antwoordde Bobby.
Grissom sloot zijn ogen en zuchtte.

Wendy Simms keek op van de gas-chromatograaf/massaspectrograaf toen Grissom het analytisch chemisch lab binnenkwam.
'Schiet het een beetje op met die monsters?' vroeg Grissom.
Wendy keek op haar aantekeningen.
'Tot nu toe heb ik de resultaten van dertig monsters, wat minder dan de helft is van de door Catherine verzamelde monsters, maar ik heb ze in willekeurige volgorde in de autosampler gezet, vanuit de gedachte dat we daardoor een algemene locatie in of op de truck kunnen krijgen waarop we ons kunnen richten.'
'En?'
'Nada,' antwoordde Wendy. 'En ik heb de gevoeligheid van de detector met een factor drie verhoogd. Als er maar een pakje cocaïne in die truck was geweest – heel wat minder dan een paar kilo – zou ik iets van bewijssporen hebben moeten vinden... maar dat is niet het geval.'
'Aan de andere kant, het is altijd moeilijk om iets te bewijzen wat er niet is.'
De onmiskenbare stem van David Hodges. Grissom en Wendy keken beiden op toen de analist de ruimte binnenkwam.
'Wat zal ik zeggen?' vervolgde David terwijl hij naar het röntgenfluorescentieapparaat liep. 'Het gebeurt niet elke dag dat een van onze technici een puzzel oplost waar de hele CSI-nachtploeg op vastzit.'
'Nee, inderdaad niet,' stemde Grissom daarmee in terwijl hij Hodges peinzend aankeek. 'En dat is precies waarom ik hier ben. Ik wil

naar je fotodocumentatie kijken. Die interactie tussen kruitresten en bloedspatten is misschien de moeite waard om te publiceren... zelfs wellicht voor een presentatie op de volgende Academy-bijeenkomst.'

'Denk je dat echt?' Ondanks zijn geringe postuur wist David eruit te zien alsof zijn borst elk ogenblik uit zijn labjas kon barsten.

'Zou best kunnen, laat me eens kijken.'

David haastte zich naar zijn computer en ging snel achter het toetsenbord zitten. Even later verscheen op het flatscreen een 50.000 maal vergrote elektronenmicroscoop-beeldscan van een stollend kruitpartikeltje, dat eruitzag als een vaalbruine en licht afgeplatte pompoen die aan de rand kennelijk door een microscopisch flintertje bloed was geraakt.

'Wat denk je ervan?' vroeg David, opzijschuivend zodat Grissom ongehinderd een blik op het veelzeggende plaatje kon werpen.

'Heel indrukwekkend, moet ik zeggen,' zei Grissom. 'Heb je bewezen dat het inslagmateriaal inderdaad bloed is?'

'Nou, eigenlijk niet... nog niet,' zei David ontwijkend en slecht op zijn gemak. 'Het leek me vrij duidelijk dat...'

'Zorg eerst maar dat je die bevestiging krijgt voordat je aan die paper gaat beginnen... en zeker voor je je verslag schrijft,' zei Grissom resoluut. 'Nou, hoe zit het met dat onverbrande kruit dat je op het pistool en de hand van de truckbestuurder hebt gevonden?'

'O, eh, ja... natuurlijk.' Zichtbaar in de war drukte David nogmaals op een paar toetsen. Even later verschenen op het scherm een paar twintig maal uitvergrote beelden van wat eruitzag als even dikke, korte en gedeeltelijk gesmolten zwarte dropsegmenten.

'Dat zijn ze,' zei hij. 'De bolletjes links zijn van het pistool en rechts zie je die van de rechterhand van het slachtoffer.'

'Feitelijk hebben we hier te maken met onverbrande kórreltjes rookloos kruit,' corrigeerde Bobby hem vanuit de deuropening, 'of, om het in technischer termen uit te drukken, onverbrande, geëxtrudeerde tubulaire kernkorrels.'

'Bolletjes, korrels, kernkorrels... wat is het verschil?' vroeg David ongemakkelijk terwijl hij, Wendy en Grissom toekeken hoe Bobby naar een in de buurt staande labkruk liep, voor een 20-40x ontleedmicroscoop ging zitten, een buisje uit zijn zak haalde en iets op een klein plastic plaatje deed. Hij schoof het plaatje onder de lens van de niet al te sterke microscoop, stelde hem snel scherp en wees toen op de ernaast staande flatscreenmonitor.

'Dat is het verschil,' zei Bobby rustig terwijl hij bij de labtafel vandaan liep zodat David, Wendy en Grissom nieuwsgierig om het scherm konden staan.

'Ik begrijp het niet,' zei David onthutst.

'Precies,' stemde Bobby in. 'Op dit scherm zie je een paar van de rookloze, rondvlakkige buskruitvlókken, die ik zojuist uit een van de .38 Special kogelhulzen heb gehaald, van de Smith & Wesson die Gil en Catherine in de truck van het slachtoffer hebben gevonden.'

'Maar die... korrels... lijken in de verste verte niet op...' begon David te zeggen.

'Nee, inderdaad niet. "Rondvlakkige vlokken" zijn snelbrandende korrels van rookloos buskruit die kenmerkend zijn voor pistoolmunitie, terwijl "extrusie van tubulaire kernkorrels" betrekking heeft op trager brandende korrels' – Bobby liep naar Davids computerscherm – 'die kenmerkend zijn voor geweermunitie.'

'Maar hoe kan dat...?' protesteerde David. 'Ik...'

'Ik neem aan dat je het afstrijkje aan de buitenkant van het pistool hebt genomen, waarschijnlijk ergens in de buurt van de greep... Is dat zo?'

'Ja, natuurlijk, dat is volgens het protocol.'

'Dat staat er inderdaad,' vervolgde Bobby. 'Maar er staat ook dat je van béíde kanten van het wapen apárt een monster moet nemen, evenals van de loop en kamer. Als je dat wél had gedaan, zou je waarschijnlijk onverbrande vlókken rookloos kruit hebben gevonden die niet overeenkomen met het monster van de handen van het slachtoffer.'

'Maar dat betekent...' David keek geschokt.

'Gebaseerd op jouw werk op de elektronenmicroscoop, lijkt het erop dat het slachtoffer – of iemand heel dicht bij hem in de buurt –

inderdaad een vuurwapen heeft afgevuurd vlak voordat hij werd gedood, maar dat vuurwapen was bijna zeker een geweer,' besloot Bobby.

'Nou, David,' zei Grissom een tikje grijnzend nadat een lange stilte in het analytisch chemisch lab was neergedaald, 'dát verandert de zaak een beetje, denk je niet?'

14

'Het was mijn schuld,' zei Catherine terneergeslagen.
Terwijl ze tegen Grissom praatte, haalde ze net een nieuw wattenstaafje uit de rechterzak van haar labjas en streek met de witte fibertop voorzichtig over het met bloed bespatte dashboard van de truck. Toen deed ze het beschermende plastic dopje dicht, brak het dunne houten stokje en markeerde het dopje met het volgende 'locatie-itemnummer'. Nadat ze een paar snelle aantekeningen op haar blocnote had gemaakt, stopte Catherine het monster in de linkerzak van haar labjas... bij de andere twaalf monsters die ze van de binnenkant van de truck had genomen.
'Niet per se,' wierp Grissom tegen.
'Natuurlijk wel! Ik had ter plaatse een monster van het pistool kunnen nemen, of er minstens voor kunnen zorgen dat David beide buitenkanten, de loop én de kamer had behandeld voordat hij hem aan Brass gaf,' antwoordde Catherine. 'Dus nu weten we niet of het pistool al in de truck lag voor het schieten begon of daar later is neergelegd.'
'Er is zo veel wat we nog niet weten,' zei Grissom, 'maar ik geloof dat we behoorlijk vooruitgang boeken.'
De hele CSI-nachtploeg was nu bijeen in de ruime dubbele garage van het lab. Sara hielp Catherine met haar digitale camera met flitslicht bij het vastleggen van het truckinterieur terwijl Warrick aan een kleine klaptafel tussen de twee parkeerhavens in zat en het door de laptop geprojecteerde 2D-beeld van de kampeerplek op de muur aan de overkant van de garage aanpaste. Greg zat op zijn knieën aan de voorkant van de nog altijd opgetakelde truck, en paste aan de hand van de door Sara gegenereerde gegevens de positie van de houten pennen in de nu met elkaar overeenkomende kogelgaten aan. Ongeveer de helft van de penuiteinden was inmiddels met gekleurd tape gemarkeerd om aan te geven welke impact door

een loden hagelkogel of door een kogel met koperen huls was veroorzaakt.
Tevreden met de voortgang van het werk liep Grissom naar de aangrenzende parkeerhaven, waar Nick de achterbanden van de door kogels geteisterde rode truck had weten te plakken en op te pompen. Hij was nu druk met het aanpassen van de portable laserscanner van het lab, die hij opnieuw had verboden met de kraan die op het dak van een van de zwarte Denali lab-SUVS stond. De punten aan de buitenkant, waar de kogels de zijkanten en het loopvlak van de opgepompte banden waren binnengedrongen, waren duidelijk met kleine felroze stippen gemarkeerd.
'Oké, ik kan gaan scannen,' riep Nick naar Warrick, die snel een ander scherm op zijn laptop tevoorschijn toverde.
'Ga je gang,' zei Warrick, en hij keek goedkeurend toe terwijl de digitale beelden van de twee banden langzaam op zijn laptopscherm verschenen.
Toen de scan klaar was, zei Warrick: 'Oké, tijd om ze om te draaien.'
Nick wipte de banden snel op hun andere kant en toen begon het scanproces opnieuw.
'Oké, dat zou het moeten zijn,' riep Warrick met een tevreden glimlach toen het tweede paar beelden van de banden het scherm vulde.
'Ik ben echt onder de indruk van die nieuwe software, echt, maar ik moet bekennen dat ik denk dat jij en Nick de boel toch een beetje belazeren, ik kan er niks aan doen,' bracht Grissom naar voren terwijl hij over Warricks linkerschouder toekeek hoe die de twee tweedimensionale beelden met een reeks programmatools manipuleerde waardoor de gegevens gaandeweg veranderden in een paar verbazingwekkend levensechte, driedimensionale banden.
'Dacht je nou echt dat we pennen in die vier sets kogelgaten zouden stoppen, de banden om de pennen zouden plakken, voorzichtig de banden tot een paar bar zouden oppompen, ze weer op de truck zouden monteren en dan met een paar honderd trigonometriecalculaties uitvogelen waar Grayson en de truck bij elk

schot precies stonden?' Warrick staarde zijn baas ongelovig aan.
'Zo is het anders ooit wel gedaan,' antwoordde Grissom een beetje verlegen. 'Het is een beproefd protocol dat helemaal teruggaat tot de jaren zestig. Criminologen als John Davidson van het San Bernardino Sheriff's Lab hebben aan vergelijkbare plaatsen delict gewerkt en deden alle berekeningen met een rekenlineaal.'
'Een rekenlineaal, om een 3D-trig uit te rekenen? Jezus, hoelang waren ze dáármee bezig?' Warrick keek geschokt.
'Een paar weken, wat ik me ervan kan herinneren,' zei Grissom. 'En toegegeven, het zou ons een tijdje hebben gekost om alle relevante berekeningen uit te voeren, maar...'
'Nou, eigenlijk doe ik het precies zo,' zei Warrick opgewekt terwijl Nick naar de klaptafel liep en over zijn rechterschouder toekeek hoe zijn partner de 3D-beelden verder manipuleerde tot ze uiteindelijk op een digitaal achterasstelsel leken te zijn bevestigd, 'behalve dat ik mijn hoofd niet hoef te pijnigen. Ik laat de computer al het zware werk doen.'
Terwijl Warrick doorwerkte, werd het laptopscherm in twee secties verdeeld, elk ervan toonde een van de digitale banden op de as, met coördinatielijnen die elkaar precies in het midden van elke wielnaaf in een hoek van negentig graden kruisten.
'Wat dacht je hiervan,' zei Warrick, overduidelijk tevreden. 'Moet je nu kijken.'
Grissom en Nick zagen vervolgens hoe Warrick vier digitale houten pennen tevoorschijn toverde en ze toen – een voor een – door de zestien roze stippen op de digitale banden stak die het scannerprogramma kennelijk zonder moeite wist te vinden.
'Hoe weet je welke pen in welk gat past?' vroeg Grissom.
'Dat weet ik niet... nog niet,' antwoordde Warrick terwijl hij het beeld op het scherm zo ver vergrootte dat er nu ook een grafische 2D-versie van de ingescande kampeerplek op stond – de twee grote zwerfkeien, de twaalf kegels op de schietposities, een gestippelde omtrek waar de truck tot stilstand was gekomen, en een paar ruwe parallel lopende stippellijnen die naar de kampeerplek liepen en de bandensporen van de truck aangaven.

'Maar in elke band zitten maar twee inslag- en uittredegaten – het lijkt erop dat Grayson een bescheiden schutter was. Dat betekent dat slechts vier combinaties van de twee penvectoren mogelijk zijn, door ze in elke band in te brengen en er weer uit te laten komen,' legde Warrick uit. 'Ik ga elke mogelijke combinatie proberen en kijk dan wat dat voor correlaties oplevert.'
'Wat zijn die vier cirkels links van die bovenste zwerfkei?' vroeg Grissom.
'Dat zijn grove inschattingen van de plek waar Grayson zich bevond op het moment dat hij zijn vier schoten afvuurde, op basis van zijn laarsafdrukken in het zand en de locatie van de vier hulzen uit zijn wapen,' zei Warrick. 'Tijdens het schieten op de banden was de afstand tussen het uiteinde van zijn geweerloop en de grond ongeveer vijftien centimeter.'
'Hoe accuraat zijn de x- en y-schattingen?'
'Plusminus zestig centimeter. Niet erg accuraat, omdat Grayson rennend schoot, wat behoorlijk wat invloed heeft op de plek waar de uitgeworpen hulzen terecht zijn gekomen,' antwoordde Warrick, 'maar goed genoeg voor wat we hier aan het doen zijn.'
'We beginnen met de eerste mogelijke penvectorcombinatie zoals je hier kunt zien,' vervolgde Warrick, 'dan verplaats ik het achterasstelsel – ik verplaats eigenlijk de hele truck, maar ik ben alleen geïnteresseerd in de achterbanden, dus laat ik alleen die op het scherm zien – langs het bandenspoor naar achteren... zo.'
'Wauw,' zei Greg.
Grissom keek op en zag dat Catherine, Sara en Greg met hun bezigheden waren gestopt en nu allemaal naar de digitale show keken die op de achterste garagemuur werd vertoond.
'Oké,' legde Warrick uit, 'wat je hier ziet, is dat het achterasstelsel vanaf de positie waar wij hem op de kampeerplek hebben aangetroffen achteruit naar de weg terugrijdt; de twee banden leggen bij elke volledige wielomwenteling ongeveer tweeënhalve meter af. Je kunt vervolgens zien dat de beide penvectoren ook bewegen, maar met een andere rotatiehoek omdat ze elk ten opzichte van de bewegende middenspil van de as een andere hoek maken.'

'Maar dat kun je op een overzichtsbeeld niet echt zien,' legde Nick uit.
'Nee, inderdaad niet,' zei Warrick, 'maar als je er een 3D-beeld op loslaat' – hij selecteerde een paar dingen en het beeld verschoof overeenkomstig – 'dan zie je hoe de uitstekende penvectoren anders roteren – smaller of wijder – afhankelijk van de hoek waarin de kogels de banden zijn binnengedrongen en weer zijn uitgetreden. Als je je kunt voorstellen dat de truck iets wordt opgetild, zodat de banden draaien maar zich niet naar voren bewegen, zoals hier' – nog een klik met de muis tilde de draaiende banden van de elektronische weg op – 'dan zie je dat één penvector een kegelvorm met een bréde basis beschrijft en de andere penvector een kegelvorm met een veel smállere basis.'
'Ah, ik begrijp het. Maar als je de banden weer op de weg zet en naar voren rijdt,' zei Nick, terwijl hij over Warricks schouder reikte en nog een keer met de muis klikte, 'zie je dat de denkbeeldige uiteinden van de twee penvectoren een paar bogen vormen – een grote en een kleine kikkersprong, die met twee verschillende tijdsintervallen ondergronds verdwijnen... en vervolgens tijdens het rijden van de truck steeds opnieuw verschijnen en weer verdwijnen, waardoor ze een paar grote sprongen vormen, of een heleboel veel kleinere sprongetjes.'
'Schattig,' zei Greg enthousiast.
'Maar dit is misschien niet de juiste vectorcombinatie,' zei Grissom.
'Inderdaad,' stemde Warrick in, 'want als je het 3D-beeld verschuift en de vier geschatte schietposities van Grayson tijdens zijn vier schoten erin inbrengt' – het computerbeeld verschoof opnieuw en toonde nu vier houterige figuren die in de vier cirkels stonden en een stokgeweer in een licht neerwaartse hoek richtten – 'staan op het 3D-beeld de twee penvectoren in de achterband niet in lijn ten opzichte van de uitlijning van de geweerlopen op de eerste twee schietposities van Grayson. Sterker nog, ze komen niet eens in de buurt.'
Warrick verschoof het beeld opnieuw om te laten zien dat de twee

penvectorlijnen van de linker achterband de lineaire kogelbaan van het geweer van de houterige figuur – een dunne rode lijn die van het geweer van de houterige figuur naar de plek van de passerende truck liep – in alle gevallen een ruime meter miste.
'En dat kan niet kloppen,' vervolgde Warrick, 'want de loop van Graysons pistool moest exact op het moment van elk schot op één lijn staan met een van de uit de banden stekende penvectoren, dat is ordinaire wiskunde, om het nog maar niet over logisch nadenken te hebben.'
'Hé, wacht eens even, hoe weet je dat Grayson de eerste twee kogels op de linkerachterband heeft afgevuurd, en niet op de rechter... of misschien een op de linkerband en tóén pas op de rechter?' bracht Sara in het midden.
'Nou, om te beginnen omdat hij zei dat hij dat had gedaan,' antwoordde Warrick, 'en ten tweede kon hij vanuit zijn naar voren geschoven positie op die eerste twee cirkels onmogelijk de rechterachterband van de truck zien en raken, want die werd door de linkerachterband en het truckchassis geblokkeerd.'
'O... oké, dat klopt wel,' gaf Sara toe terwijl ze het plaats-delict-diagram op de muur nader bestudeerde.
'Maar we willen altijd liever weten wat het bewijs te zeggen heeft en niet de verdachten en politie,' zei Warrick, 'dus nu gaan we weer terug naar de laatste positie waar de truck stilstond' – het computerscherm veranderde mee – 'passen de penvectoren toe op de tweede mogelijke, aan elkaar gerelateerde set kogels-gatencombinaties, voeren dat opnieuw helemaal terug op Graysons eerste schietpositie en...'
'O mijn god, dat komt overeen,' fluisterde Catherine.
'En dan bewegen we verder naar zijn tweede schietpositie,' vervolgde Warrick.
'En dan staat hij bijna perfect op één lijn met de tweede penvector in de linkerachterband,' zei Nick met duidelijk ontzag in zijn stem.
'En als we dan naar de derde en vierde penvectoren gaan...' besloot Warrick, en toen zei hij niets meer terwijl alle zes technisch rechercheurs naar de traag bewegende en roterende penvectoren keken

die bijna perfect op één lijn waren met Graysons derde en vierde schietpositie.
'Dit zijn ze,' zei Warrick ten slotte na een paar ogenblikken stilte, 'dit is het startpunt dat we nodig hebben om de plaats delict te reconstrueren: vier exact bekende posities van de truck toen Grayson zijn vier schoten afvuurde... want daar móét de truck op die vier specifieke tijdsmomenten zijn geweest.'
'Ik neem mijn opmerking terug over dat jij en Nick de boel zouden belazeren,' zei Grissom ademloos. 'Je hebt de eerste gebeurtenissen op onze plaats delict opgehelderd op een manier die ik alleen maar elegant kan noemen. Ik denk dat John Davidson trots zou zijn geweest... om niet te zeggen meer dan een beetje jaloers op dit superieure stukje technologie van jullie.'
'Dat kun je wel zeggen!' zei Catherine.
'Ik vind het heel vervelend om jullie feestje te verstoren,' zei Nick aarzelend, 'maar ik denk dat hierdoor één aspect van onze reconstructie er een stuk verwarrender op is geworden.'
'Wat bedoel je?' vroeg Grissom op scherpe toon, zijn voorhoofd en wenkbrauwen fronsten zich tot een pijnlijke uitdrukking.
'Als we aannemen dat de vier schietposities van Grayson accuraat zijn, wat bijna niet anders kan als je afgaat op het door de truck afgelegde traject,' legde Nick uit, terwijl hij over Warricks schouder op een functietoets drukte en toen omhoogwees naar het 2D-overzichtsbeeld dat op de tegenoverliggende muur verscheen, 'dan kan hij tijdens het schieten nooit Jane Smith in zijn vizier hebben gehad, want zij wordt helemaal afgeschermd door de "vrouwengemak"-zwerfkei, dus Grayson kon haar onmogelijk hebben neergeschoten.'
'Je hebt gelijk,' erkende Grissom. 'Dus waar brengt ons dat... Terug naar een geweerschot door het slachtoffer in de truck?'
'Ik neem aan dat dat wel mogelijk is.' Warrick trok een paar directe lijnen van twee van de truckposities – gebaseerd op Graysons derde en vierde schietpositie – naar de plek waar Jane Smith volgens eigen zeggen op haar hurken had gezeten toen de truck net de kampeerplek op was komen denderen. 'De truckbestuurder heeft haar in

het begin duidelijk in het vizier – in elk geval een kort moment voordat de zwerfkei haar aan het zicht onttrekt. Maar een enkelhandig schot met een high-powered geweer door het passagiersraam, terwijl hij met de andere hand met hoge snelheid door het zand stuurt en regelrecht op vijf andere goedbewapende narcotica-agenten afstormt? Dat lijkt me eerlijk gezegd nogal vergezocht.'
'Ja, tenzij hij bereid was zelfmoord te plegen, alleen maar om haar te pakken te nemen,' voegde Nick eraan toe, 'wat bepaald niet overeenkomt met de vent die Fairfax en Holland hebben beschreven.'
'Ik vermoed dat je nooit het onlogische gedrag van een psychotische moordenaar moet onderschatten,' zei Grissom zachtjes, 'maar ik ben het ermee eens: er is geen touw aan vast te knopen... wat betekent dat we opnieuw in die truck moeten gaan kijken.'
'Alweer?' Catherine had een pijnlijke uitdrukking op haar gezicht. 'Ik moet zo langzamerhand wel minstens honderd monsters uit die cabine hebben genomen, en die flarden hersens die op de achterruit en stoel geplakt zitten beginnen inmiddels behoorlijk belegen te worden. Wat kunnen we daar nu nog mee?'
'Ik weet zeker dat jullie me allemaal vaak genoeg hebben horen zeggen dat een goed uitgevoerd plaats-delictonderzoek altijd bestaat uit een mechanisch proces en een denkproces,' antwoordde Grissom. 'En hoe gemakkelijk je in de val kunt trappen door mechanisch bewijs te verzamelen zonder er echt bij stil te staan wat je nu feitelijk ziet, ruikt en verder voelt wanneer je met een enorme stapel bewijs te maken hebt, zoals dat in deze zaak absoluut het geval is.'
'Dus?' zei Catherine, slecht op haar gemak.
Grissom glimlachte meelevend. Hij had zijn senior rechercheur een paar keer mechanisch monsters uit de truck zien nemen, zichzelf zichtbaar dwingend de grijswitte hersenspatten in haar buurt te negeren. Hij vermoedde dat ze zich nu afvroeg wat ze misschien tijdens die werkzaamheden over het hoofd had gezien.
'Dus ik denk dat we een beetje meer moeten nadenken over wat we zien... of, relevanter nog, wat we níét zien,' antwoordde Grissom voorzichtig. 'Wat betekent dat we volgens mij iets moeten doen wat John Davidson bijna zeker zou hebben gedaan voordat hij er

zelfs maar over piekerde om zijn rekenliniaal tevoorschijn te halen,' voegde hij eraan toe terwijl hij een zakmes uit zijn labjaszak haalde en het scherpe mes openklapte.
'Zijn polsen doorsnijden?' zei Greg.
'Nee,' antwoordde Grissom. 'Deze keer keren we écht terug naar de basis.'

15

Twintig minuten later keken Gil Grissom en de andere technisch rechercheurs in het chemisch lab toe terwijl Greg Sanders voorzichtig een rafelig, met bloed bevlekt stuk stof – dat Grissom en Catherine een paar minuten eerder uit de binnenzijde van het rechter deurpaneel in de truck hadden gesneden – op een groot, chemisch bewerkt stuk filterpapier met glad oppervlak legde.

Nu snel werkend pakte Greg een flink stuk kaasdoek – ruwweg even groot als het stuk bebloede stof en het filterpapier – uit een beker met vijftien procent azijnzuur en drapeerde het druipende doek bedaard over het stuk stof. Ten slotte pakte hij een strijkijzer en streek daarmee over het hele oppervlak van het kaasdoek… en deinsde onmiddellijk terug toen de warme azijnzuurdampen nogmaals langs zijn gezicht opstegen en in zijn inmiddels uitermate gevoelige neusgaten schroeiden.

'Netjes gedaan, Greg,' zei Grissom goedkeurend. 'Je techniek gaat absoluut vooruit.'

'Dat is me anders niet aan te zien,' zei de jonge onderzoeker, terwijl de tranen langs zijn wangen biggelden. 'Hoe noemde je deze proef ook alweer?'

'De aangepaste Greiss-test voor nitrietresten,' zei Grissom. 'Als rookloos buskruit in een huls wordt afgevuurd, wordt er een grote hoeveelheid nitriet geproduceerd, dat normaal gesproken heel duidelijk zichtbaar wordt als schroeiplekjes of kruitpatroonresten op de oppervlakte eromheen. Maar als die schroeiplekjes of patroonresten toevallig op een donker of kleurloos oppervlak terechtkomen – zoals de bebloede stof van de bank, het deurpaneel en het plafond van de truck van ons slachtoffer – dan zijn die schroeiplekjes en patronen wellicht niet zo duidelijk te zien.' Grissom zweeg even. 'Dat hebben jullie toch zeker wel op school geleerd?'

'Ik weet vrij zeker dat dat de lablessen waren waarvan een paar van

ons hebben gespijbeld om Marilyn Manson te gaan zien,' zei Greg. 'Volgens mij waren we het er allemaal over eens dat we niet veel zouden missen, omdat er vast een modernere test voor nitriet moest bestaan.'
'O, dat is ook zo,' zei Grissom. 'Maar de Greiss-proef is dan wel ouderwets, maar hij heeft een paar voordelen – waarvan de belangrijkste het bereik en de dichtheid van de kleurreactie zijn. Wanneer de warme azijnzuurdampen in de stof in kwestie doordringen, ontstaan er feloranje vlekken op het papier, wat op een significante concentratie nitriet duidt.'
'Je bedoelt zoals dit?' vroeg Greg, terwijl hij het grote stuk filterpapier omhooghield, dat nu zichtbaar bezaaid was met een nevel van lichtoranje stippels.
'Nee,' zei Grissom hoofdschuddend, 'helemaal niet zoals dat. We zijn op zoek naar significánte nitraatafzettingen die ons een indicatie geven of een geweerschot in een specifieke richting is afgevuurd. Wat jullie hier zien is bijna zeker het gevolg van een wolk kruitresten die binnen in de truckcabine tekeer is gegaan, en willekeurig op verschillende oppervlakten tot rust is gekomen.'
'Je bedoelt zoals de stoelbekleding die ik net heb getest?' vroeg Greg.
'Ja, precies zoals de stoelbekleding... wat betekent dat je nog één stuk stof te gaan hebt,' zei Grissom. 'Beschouw dit maar als een inhaalcursus.'
Greg zuchtte. 'Ik denk dat ik in karma ga geloven... Het was bepaald niet Mansons beste show,' zei hij terwijl hij zijn hand uitstak naar de grof gerafelde, verschoten, versleten en gescheurde stof die Grissom en Catherine van het plafond van de truckcabine hadden weggesneden en -getrokken.
In een reeks bewegingen die zo te zien eerder snel dan methodisch werd uitgevoerd, herhaalde Greg de stappen van de aangepaste Greiss-test en pakte ten slotte het resultaat op van het van dampen doordrongen filterpapier, en zei: 'Wauw, moet je dat eens zien.'
'Ja, inderdaad, moet je dat eens zien,' zei Grissom, terwijl hij peinzend naar de feloranje gekleurde eruptie staarde, die als een kleine

opkomende zon in de linkeronderhoek van het filterpapier leek uit te barsten.
'Is dat niet...?' begon Greg, met zijn waterige ogen naar het glanzende plaatje knipperend.
'De hoek rechtsvoor in het cabineplafond suggereert dat er van binnenuit een schot is afgevuurd, via de rechterbovenhoek van de voorruit,' maakte Grissom de zin af. 'Van de gemiddelde psychotische drugsdealer zou je niet verwachten dat hij daarop zou richten als hij iemand probeerde te raken die voor zijn aanstormende truck stond of op de grond knielde.'
'Misschien reed de truck op het verkeerde moment over een hobbel...'
'Mogelijk,' stemde Grissom in. 'Of we zien hier het bewijs van een compleet andere reeks gebeurtenissen. Ik denk dat we naar de truck terug moeten.'

Weer terug bij de parkeerhaven stonden de vijf leden van de CSI-nachtploeg in een halve cirkel rond de nog steeds opgetakelde auto, aandachtig toekijkend hoe Grissom een groot stuk chemisch geïmpregneerd filterpapier inspoot met een oplossing van vijftien procent azijnzuur, en het enigszins vochtige papier heel precies aan de binnenkant van de truck aan passagierszijde op de grond legde.
Toen, nadat hij verschillende lagen droog kaasdoek over het filterpapier had gelegd en er een paar geplastificeerde gewichten op had gezet om de hele papier-stofmassa stevig tegen de truckvloer te drukken, deed Grissom een stap opzij en keek op zijn horloge.
'Ik denk dat drie minuten lang genoeg is,' zei hij.
'Ga je het niet stomen?' vroeg Greg. Grissom deed geen moeite om de aangesloten strijkbout te pakken die naast de geopende passagiersdeur van de truck op de grond stond.
'Nee, ik denk niet dat dat nodig is,' zei Grissom. 'We kunnen geen warme zuurdampen in de vloer laten doordringen en de chemische reactie werkt bijna net zo goed zonder warmte als je maar voldoende tijd neemt.'

'Licht je de boel dan niet een beetje op?' vroeg de jonge onderzoeker behoedzaam.
'Ja en nee.' Grissom haalde geamuseerd zijn schouders op. 'Ik wil jullie leren hoe je de Greiss-proef goed toepast, maar ik wil ook dat jullie je vrij voelen om als dat nodig is de protocollen aan te passen. Aanpassingen die je uiteraard alleen na goed uitgevoerd en diepgaand onderzoek mag aanbrengen... en na mijn uiteindelijke goedkeuring. Eigenlijk wil ik dat wanneer jullie aan een plaats delict werken, jullie als een wetenschapper denken, en niet als een analist slechts bewijs verzamelen en verwerken – je hebt geen protocol nodig om als forensisch wetenschapper te functioneren. Houding en benadering zijn net zo belangrijk als de rest. Soms is het enige wat je hoeft te doen het probleem vanuit een ander perspectief te benaderen.'
'Wat ik ongeveer een uur geleden had moeten doen,' onderbrak Catherine hem met een onmiskenbaar scherpe ondertoon in haar stem. Ze stond met een geërgerde uitdrukking op haar gezicht naar de achterkant van de vernielde achterruit te kijken.
'Zie je iets interessants?' Grissom trok zijn rechter wenkbrauw nieuwsgierig op.
'Ja,' antwoordde Catherine. 'Kom hier eens kijken.'
Grissom liep erheen en ging naast zijn senior rechercheur staan.
'O,' zei hij nadat hij een kleine dertig seconden naar het achterruitpaneel had gestaard.
'Ik ben het hele chassis van die verdomde truck af geweest,' mompelde Catherine. 'Het enige wat ik had moeten doen was omhoogkijken... en, uiteraard, nadenken.'
'Helaas deed ik precies hetzelfde toen ik de scannerlocatieringen neerzette,' bekende Grissom.
'Waar hebben jullie het over?' vroeg Warrick.
'Ik geloof dat Catherine en ik net hebben gedemonstreerd dat zo en nu dan houding en benadering de feitelijke oorzaak van het probleem in relatie tot de oplossing kunnen zijn,' antwoordde Grissom met een vaag geamuseerd glimlachje terwijl hij nogmaals op zijn horloge keek, 'maar eerst...'

Hij liep terug naar de open truckdeur, haalde het nog steeds vochtige stuk filterpapier uit de cabine en hield dat omhoog zodat iedereen het kon zien.

'Het lijkt precies op de eerste paar stukken die ik heb gedaan,' zei Greg. 'Gewoon een nevel van gevallen kruitresten, hè? Geen feitelijk patroon?'

'Precies,' zei Grissom. 'Ga bij Catherine staan en vertel me wat je ziet.'

Terwijl Greg dat deed, keken de andere drie onderzoekers elkaar aan, stonden van tafel op en voegden zich bij de rest van de groep. Greg staarde ruim een minuut naar de achterkant van het kapotte glaspaneel voor hij zei: 'Ik kijk naar een stuk spiegelglas dat is geraakt door... eh... een heleboel projectielen: een hoop aan de bestuurderskant, en hier rechtsonder, achter de passagiersstoel.'

'Hoe weet je dat het spiegelglas is en geen kogelvrij glas?'

'Kogelvrij glas is zo gemaakt dat wanneer het breekt, het in kleine vierkante splinters uiteenvalt, in plaats van de scherpe en puntige splinters die bij een auto-ongeluk echt gevaarlijk kunnen zijn,' antwoordde Greg. 'Trouwens, moeten de zij- én achterramen van auto's niet allemaal van kogelvrij glas zijn?'

'Ja,' zei Nick, 'maar een truckachterruit gaat gemakkelijk stuk wanneer je er op een boerderij gereedschap met lange stelen mee vervoert, en spiegelglas is een stuk goedkoper. Niet echt slim, maar boeren zitten meestal boven op hun geld.'

'En helaas voor ons was de eigenaar van deze truck kennelijk meer bezorgd om zijn portemonnee dan om zijn veiligheid,' voegde Grissom eraan toe.

'Oké, ik zie dat alle projectielen vanaf de voorkant van de truck naar de achter... Hé, wacht eens even!'

Greg staarde een halve minuut naar de op verschillende plekken gebroken ruit.

'Ja, moet je kijken, je kunt zien dat het projectiel dat hier rechts een gat heeft geslagen...' hij wees naar het kartelige, tweeënhalve centimeter grote gat rechts onder in het raampaneel '... absoluut als eerste het raampaneel moet hebben geraakt, vóór al die andere projectielen aan de linkerkant... want dat eerste projectiel heeft die lange, radiale breuklijnen al veroorzaakt... en toen de andere projectielen insloegen, zie je waar hun radiale lijnen werden afgebroken toen ze op een van die eerste radiaalbarsten van dat projectiel stuitten.'

'En wat kun je me nog meer vertellen over dat specifieke gat, dat door het eerste projectiel is veroorzaakt?'

'Nou... ik vermoed dat jij en Catherine dat vanuit de cabine zelf niet hebben kunnen zien omdat de binnenkant bijna helemaal is overdekt met bloed en spetters hersenweefsel...'

'Helaas, maar waar,' zei Grissom instemmend, 'maar dat zegt mij nog niets over het gat... of het projectiel dat het heeft veroorzaakt.'

'We kunnen waarschijnlijk weinig zeggen over de inslaghoek omdat de voorruit bijna helemaal verbrijzeld is,' zei Greg. 'Ik geloof niet dat we die ooit nog in elkaar kunnen zetten, om zo uit te vinden welk gat het eerste is veroorzaakt.'

'Waarschijnlijk niet, maar we zouden de voorruitgegevens sowieso niet nodig moeten hebben, want er is iets anders wat we uit dat gat kunnen opmaken. Ik mag aannemen dat jullie de lezing over impactsnelheid hebben bijgewoond?'

Greg staarde enige tijd naar het doorboorde raam. Ten slotte zei hij: 'Een relatief kleine kogel met hoge snelheid veroorzaakt meer – maar kortere – radiale barsten dan een relatief grote kogel met een lagere snelheid, die minder, maar lángere barsten veroorzaakt.'

'Schitterend.' Grissom knikte goedkeurend.

'Wat betekent...' Greg boog zich naar voren om het enkele gat in het glaspaneel van dichtbij te bekijken '... dat dit gat waarschijnlijk door een behoorlijk snelle kogel is veroorzaakt en niet door een langzame.'

'Daar lijkt het zeker op,' stemde Grissom in, 'maar dat is merkwaardig, want...' Hij zweeg even en keek naar het midden van de garage. 'Warrick, kun jij het 2D-overzichtsbeeld van de plaats delict weer op de muur projecteren met daarop de eindpositie van de truck en alle zes schutters?'

'Doe ik.'

Warrick haastte zich naar de tafel en begon iets op zijn laptop in te typen. Een paar ogenblikken later lichtte het gevraagde beeld op de tegenoverliggende garagemuur op.
'Oké,' zei Grissom, terwijl hij een laseraanwijzer uit de zak van zijn labjas haalde en die op de muur richtte, 'zoals jullie hier zien, staan alle zes schutters in verhouding tot de eindpositie van de truck – die we de twaalf-uurpositie zullen noemen – precies waar staatsagent Boyington met zijn geweer staat. Parkwachter Grayson staat een stuk achter de truck, op zeven uur, met zijn Sig-pistool, DEA-agent Jackson staat met een andere Sig dichterbij en in één lijn met het linkerzijraam van de truck op de negen-uurpositie, staatsagent Mace staat met nog een .12 kaliber op elf uur, en onze lieftallige miss Smith staat met haar Glock op twee uur achter die grote zwerfkei.'
'Je vergeet DEA-agent Tallfeather, verder weg op... ruwweg halfelf,' wees Sara hem terecht.
'O nee, ik ben agent Tallfeather niet vergeten,' zei Grissom, 'want hij is op dit moment het interessantste teamlid.'
'Bedoel je omdat hij met een high-powered geweer gewapend was?' vroeg Nick. 'Hoe zit het dan met Grayson, Jackson en Smith? Zij hadden allemaal hogesnelheidsmunitie in hun pistolen.'
'Ja, dat is zo,' zei Grissom. 'Maar de schoten van agent Grayson hebben we allemaal kunnen achterhalen – en hij stond onder de verkeerde hoek, dus dat vlakt hem waarschijnlijk uit als het gaat om dit schot door het raam. En om dit specifieke gat in de achterruit te kunnen maken, hadden de andere twee pistoolschutters op de voorruit moeten schieten. Maar gezien het feit dat ze allemaal hollow points gebruikten, is het heel waarschijnlijk dat door de eerste inslag in de voorruit – of zelfs het zijraam – de uitgezette kogels behoorlijk werden afgeremd voordat ze in de achterruit insloegen.'
'Waarmee ze eigenlijk tragere en grotere kogels werden,' zei Catherine, tevreden glimlachend knikkend.
'Ja, wat betekent dat agent Tallfeather hoogstwaarschijnlijk dit kogelgat heeft veroorzaakt, en mogelijk de kogel die het hoofd van het

slachtoffer heeft weggeblazen – ware het niet...' Grissom draaide zich om naar Greg, die razendsnel door zijn plaats-delict- en bewijsonderzoeksgegevens bladerde.
'... ware het niet dat dat niet klopt met de verantwoording voor zijn schoten,' zei Greg, opkijkend. 'Agent Tallfeather heeft verklaard dat hij vanaf de elf-uurpositie zes geweerschoten op de truckbanden heeft afgevuurd – bijna onmiddellijk nadat agent Grayson en Boyington met schieten begonnen – zich toen naar rechts heeft omgedraaid, waar hij negen kogels op het motorblok van de truck heeft afgevuurd... En vervolgens heeft hij zijn magazijn leeggeschoten op de deur van de bestuurder, omdat het slachtoffer toen al uit het zicht verdwenen was.'
Greg keek weer op zijn aantekeningen.
'Ik weet niet waar de kogels zijn gebleven die hij op de banden heeft afgevuurd,' vervolgde hij, 'maar ik heb op één plek zes lege hulzen gevonden die overeenkwam met zijn beweerde eerste schietpositie... negen lege hulzen die overeenkwamen met zijn tweede positie... en vijftien lege hulzen op zijn derde positie.'
'Dat betekent niet dat alle kogels dezelfde kant op zijn gegaan,' weerlegde Sara zijn opmerking.
'Nee, dat is zo,' Greg knikte instemmend, 'maar ik heb ook negen kogels gevonden, waarvan de punten allemaal gedeukt en kapot waren, op de grond onder het motorcompartiment, en die zagen er allemaal uit alsof ze tegen iets heel hards waren geslagen, zoals een motorblok – en vijftien kogelgaten waren op één lijn met een aanhoudend salvo op de deur van de bestuurder,' voegde hij er glimlachend aan toe terwijl hij naar de truck wees. 'Kijk maar.'
'Advocaat van de duivel,' zei Catherine. 'Stel dat hij al één kogel in de kamer had zitten toen hij dat magazijn laadde?'
Greg fronste zijn wenkbrauwen. 'Waarom zou hij een automatisch geweer bij zich hebben met één kogel in de kamer? Is dat niet tegen de regels?'
Catherine grinnikte.
'Bedoel je soms dat federale agenten zich niet aan basisregels hoeven te houden?' vroeg Greg.

'Misschien is het een kwestie van giswerk in plaats van gebruik te maken van het beschikbare bewijs,' opperde Grissom.
'Wacht. Even wachten... De M4 was leeg toen we hem van agent Tallfeather innamen, en we hebben slechts dértig lege hulzen gevonden, niet eenendertig.'
De technisch rechercheurs keken elkaar aan.
Catherine sprak uiteindelijk uit wat iedereen dacht: 'Nog een geweer ter plaatse waar niemand ons iets over heeft verteld?'
'Toen ik agent Mace ondervroeg,' zei Warrick, 'beweerde hij dat hij een kogel langs zijn hoofd voelde fluiten vlak nadat hij ruwweg op de elf-uurpositie twee kogels had afgevuurd en hij zich naar de tienuurpositie bewoog, waar hij nog drie kogels zou afvuren.'
'Aan welke kant?' vroeg Grissom.
Warrick haalde snel zijn blocnote tevoorschijn. 'Rechts.'
'Dat zou een van Tallfeathers kogels kunnen zijn geweest,' opperde Nick. 'Hij stond achter Mace en rechts van hem toen hij beweerde dat hij op de truckbanden begon te schieten.'
'Maar heeft niemand dan gezegd – of ten minste geïmpliceerd – dat Tallfeather al zijn zes kogels in één salvo heeft afgevuurd?' vroeg Sara.
'Deze zes lege hulzen lagen behoorlijk dicht bij elkaar toen ik ze vond – de kleinst mogelijke binnencirkel was iets van zestig centimeter,' zei Greg. 'Ik vermoed dat hij tijdens het schieten daar heeft gestaan, maar ik kreeg de indruk dat hij al zijn schoten behoorlijk snel had afgevuurd... een kwestie van seconden.'
'Wat denk je ervan, Gil?' vroeg Catherine. 'Zitten we op het juiste spoor?'
'Ik denk,' zei Grissom langzaam, 'dat Brass, Fairfax en ik eens ernstig moeten praten.'

16

'... wat allemaal verklaart waarom we nu geloven dat er nog minstens één andere schutter ter plaatse moet zijn geweest, die met een high-powered geweer op de truck heeft geschoten,' zei Grissom terwijl hij de groene whiteboardstift neerlegde en de twee mannen die in zijn gesloten kantoor zaten aankeek.

Om heel verschillende redenen waren zowel hoofdinspecteur Jim Brass als dienstdoend assistant special agent William Fairfax bepaald niet blij met deze laatste bewijsbriefing.

'Heb je die specifieke kogel gevonden?' vroeg Fairfax na een lange stilte.

'Nee, dat niet... Althans, nog niet,' voegde Grissom eraan toe.

'Hoe groot is die kans, denk je?'

'In het beste geval klein,' zei Grissom schouderophalend. 'We gaan het proberen, nadat de storm is gaan liggen, maar de woestijn is daar wel verschrikkelijk groot, hoor.'

'Afgaand op jouw beschrijvingen, lijkt het me waarschijnlijk dat dat schot door een van Paz Lamos' mannen is afgevuurd, weggedoken op een sluipschutterspositie op enige afstand van de kampeerplek, in een poging zijn baas te beschermen,' opperde Fairfax. 'Verdomd ironisch als blijkt dat die klootzak door een van zijn eigen mannen op de korrel is genomen. En het verklaart uiteraard ook de kogel die agent Mace naar eigen zeggen langs zijn hoofd voelde fluiten,' voegde hij er na een ogenblik nadenken aan toe.

'Ja, het zou een van Paz Lamos' mannen kunnen zijn geweest,' stemde Brass in. 'Maar tijdens de ondervraging kreeg ik de stellige indruk dat geen van de undercovers tijdens het schietincident in de gaten hield wat achter hen gebeurde. Ik weet niet zeker of ik me zo had gedragen als een kogel langs *mijn* hoofd was geschampt.'

Fairfax wilde iets anders zeggen, maar aarzelde toen. Voor Grissom was het duidelijk dat Fairfax' hersens op volle toeren draaiden. De late ontdekking van het CSI-team dat het slachtoffer in de truck bijna zeker maar één geweerschot had gelost – door het dak van de truck, en onmiddellijk daarna door een inkomende kogel was geraakt – kwam bepaald niet goed uit.

'Aan de andere kant,' vervolgde Brass kalm, 'kan ik me ook heel goed herinneren dat elke keer dat ik heb meegewerkt aan een grote arrestatieactie door een team DEA-agenten, ze ter bescherming áltijd een sluipschutter achter de hand hielden om de agenten die de uitwisseling uitvoerden in de gaten te houden.'

Na nog een paar ogenblikken stilte slaakte Fairfax een diepe zucht en ontmoette toen Brass' blik met een soort gemoedsrust die Grissom onaangenaam verraste. Hij had de vaste overtuiging dat mensen – en met name politieagenten – er schuldig zouden moeten uitzien en zich ook schuldig zouden moeten voelen als ze op een leugen werden betrapt.

'Voor de operaties van agent Jackson heb ik hem inderdaad ter bescherming twee leden van het SWAT-team ter beschikking gesteld,' gaf Fairfax toe. 'Maar Jackson zei dat ze behoorlijk ver van de kampeerplek af stonden – ze waren nog op zoek naar een goede overzichtspositie, en stonden nog helemaal niet op hun plaats – toen het schieten begon.'

'Wat? Vond je het niet de moeite waard om dat te vertellen – je had vier DEA-agenten in het schietgebied in plaats van twee?' vroeg Brass op scherpe toon, zijn ogen schoten vuur.

'Jackson zei tegen me dat die agenten nog niet eens in de buurt van de kampeerplek waren toen het schieten plaatsvond, dus ik vond helemaal niet dat ze op de plaats delict aanwezig waren, of relevant waren voor de reconstructie,' antwoordde Fairfax nuchter.

'O, kom nou toch,' kaatste Brass terug.

'Vlak nadat het schieten ophield – toen Jackson ontdekte dat de coke niet in de truck was en hij zich realiseerde dat Smith het lichaam niet kon identificeren – heeft hij onmiddellijk via de radio het beschermingsteam opdracht gegeven om rondom het terrein naar Paz Lamos en de drugs te zoeken. Gezien het nachtelijk uur en Lamos' reputatie dat hij extreem gewelddadige aanvallen uitvoert op wetshandhavers in het algemeen, vond ik dat een volkomen redelijke voorzorgsmaatregel.'

'Maar ook iets wat agent Jackson verzuimd heeft te melden tijdens onze ondervragingen,' zei Brass met stemverheffing.

'Een ongelukkige omissie,' zei Fairfax, 'maar je kunt niet beweren dat hij een vals verslag heeft gegeven. Jackson kreeg vlak na het schietincident in zeer korte tijd met van alles en nog wat te maken, en daarvan was de kans dat Paz Lamos nog leefde en wellicht nog in de directe omgeving van de kampeerplek kon zijn niet het minste. Als je alles in ogenschouw neemt, vind ik dat hij de situatie heel bevredigend heeft aangepakt.'

'Dus je team sluipschutters – waar dat feitelijk ook mag hebben uitgehangen – heeft niet op de persoon in de truck geschoten toen het schieten begon? Bedoel je dat te zeggen?' drong Brass aan.

'Dat heb ik van agent Jackson begrepen.' Fairfax knikte gedecideerd met zijn hoofd. 'En gezien de afstand – ik geloof dat hij zei dat ze zo'n vier- of vijfhonderd meter verderop zaten – zou het onder ideale omstandigheden al behoorlijk gevaarlijk zijn geweest om een schot te lossen, en de omstandigheden waar de mannen mee te maken hadden waren verre van ideaal. Onze undercovers hadden stuk voor stuk door een verdwaalde kogel geraakt kunnen worden en ze waren sowieso goed op weg om de situatie onder controle te krijgen, dus ik geloof echt dat Jackson én het protectieteam de juiste beslissingen hebben genomen.'

'Vijfhonderd meter is helemaal niet zo ver voor een vakkundig scherpschutter,' zei Brass, kokend van woede.

'Niet als het weer en de zichtcondities gunstig zijn,' gaf Fairfax toe. 'Maar dat was hier niet het geval.'

'Wanneer kunnen we hun wapens onderzoeken?' vroeg Grissom.

'Ik... eh, zie geen reden waarom ze...'

'Sterker nog,' onderbrak Brass hem, 'gezien de nog altijd onbeantwoorde vraag of je SWAT-team wel of niet een of meer schoten in de richting van de kampeerplek heeft afgevuurd, vind ik het een veréíste dat je opdracht geeft dat elk vuurwapen dat in hun bezit is onmiddellijk bij ons lab wordt afgeleverd.'

'Maar het zoeken...' wilde Fairfax ertegen in brengen.
'Ik geloof niet dat het nodig is dat ze van de lopende zoektocht naar de drugs en Paz Lamos' mannen worden afgehaald,' zei Brass. 'Aangenomen dat het zoeken nog steeds aan de gang is?'
'Ja, natuurlijk,' zei Fairfax kwaad. 'Ik ben niet van plan om vanwege het slechte weer me de kans te laten ontglippen om die klootzakken in de kraag te vatten.'
'Dan lijkt het me eenvoudig om ter plaatse hun wapens in te nemen en ze nieuwe te geven – uit dat reservearsenaal dat ik in je helikopter zag liggen. Zo simpel als wat.'
Fairfax aarzelde.
'Luister, ik realiseer me dat ze ongetwijfeld woedend zullen zijn. Maar ik denk ook dat het cruciaal is voor deze reconstructie dat we moeten uitsluiten dat die SWAT-wapens welk ballistisch bewijs dan ook veroorzaakt zouden kunnen hebben dat in verband staat met de persoon in de truck,' vervolgde Brass resoluut. 'Ik weet zeker dat je net zomin als ik die vraag tijdens de hoorzitting onbeantwoord wilt laten. En dat het waarschijnlijk zelfs een punt gaat worden nadat onze patholoog zijn verklaring heeft afgelegd over zijn bevindingen en conclusies.'
Fairfax fronste zijn voorhoofd. 'Ik was me er niet van bewust dat je patholoog enig fysiek bewijs heeft gevonden dat een hogesnelheidsgeweerkogel het lichaam heeft geraakt. Ik dacht eigenlijk dat het indirect bewijs was.'
'Ik weet ook niets van enig diréct fysiek bewijs,' zei Grissom, terwijl hij opstond en naar de deur liep, 'maar Doc Robbins kennende...'

Dr. Albert Robbins mompelde iets binnensmonds terwijl hij zijn altijd aanwezige wandelstok pakte en naar een paar flatscreenmonitors strompelde, die aan de verre wand van het pathologisch lab bevestigd waren, vlak boven een tegen micro-organismen beschermde computer, toetsenbord en muismat.
Grissom en Brass liepen op een, naar ze hoopten, veilige afstand achter de geërgerde patholoog aan.

'Er is niks mis met jouw gehoor of mijn gezichtsvermogen,' antwoordde Robbins terwijl hij met een in rubber ingepakte muis een menu op het linkerscherm liet verschijnen. 'En ik weet nog heel precies dat ik in mijn rapport heb vermeld dat er in de hoofdwond van je John Doe geen waarneembare kogelfragmenten zijn aangetroffen.'
'Dat weet ik, Al,' zei Grissom met een licht verontschuldigend glimlachje. 'Ik hoopte alleen dat er misschien nauwelijks waarneembare – of zelfs microscopisch kleine – fragmenten waren waarvan je de moeite niet hebt genomen die te vermelden... misschien omdat je wist dat we er toch niets mee zouden kunnen.'
Robbins trakteerde Grissom op een blik waaruit sprak dat hij bepaald niet onder de indruk was. 'Is dat het enige wat je kunt verzinnen?' gromde hij.
'Het is een lange nacht geweest,' zei Grissom schokschouderend.
'Ja, dat kun je wel zeggen,' erkende de patholoog, terwijl hij dubbelklikte met de muis en toen wachtte terwijl de digitale röntgenfoto op het linker flatscreen verscheen. 'En dát is een van de redenen waaróm het zo'n lange nacht is geweest.'
De drie mannen keken naar de scherpe röntgenfoto van een verschrikkelijk toegetakelde mensenschedel.
'En zoals jullie zélf kunnen zien,' zei Robbins nadrukkelijk, gebarend naar de levensechte 3D-schedelfoto, waarop verschillende botten, weefsels en holtes te zien waren met duidelijk waarneembare zwarte, grijze en witte vlekken, 'zijn er totaal geen waarneembare metaalfragmenten in die wond aanwezig. Je kunt de drie loden hagelkogels in de onderkaak en nek zien, maar geen kogelfragmenten.
'Is dat... normaal?' vroeg Brass, en hij begon er nu net zo geïrriteerd en gefrustreerd uit te zien als Robbins.
'Bij een hollow point met koperen huls zou ik dat niet hebben verwacht, nee,' zei Robbins. 'Met zo'n soort kogel zijn bijna altijd kleine sporen te vinden... meestal kleine koperen hulsfragmenten die van de afgerukte en ronddraaiende randen springen. Er is niet veel weerstand nodig om kleine stukjes scherpgerand koper los te scheu-

ren. Zelfs in dat kleine muildierhert' – Robbins schoof weer met de muis heen en weer, waardoor een paar skeletfoto's van een hert op het rechter flatscreen verschenen – 'kun je vlak bij de uittredewond een paar fragmenten zien zitten… en díé kogel heeft helemaal geen bot geraakt.'

'En hoe zit het met verharde kogels?' vroeg Brass.

Robbins draaide zich naar Brass. 'Wat bedoel je met "verhard"?'

'Ik herinner me dat ik een paar maanden geleden op het oefenterrein ons SWAT-team zag schieten met geweermunitie met een groene punt,' antwoordde Brass. 'Toen ik de teamcommandant ernaar vroeg, zei hij dat het "verharde" kogels waren, ontworpen om kogelvrije vesten en barricademateriaal te penetreren. De gedachte erachter is dat je een verdachte hard en snel wilt neerhalen als hij een wapen op een gijzelaar gericht houdt.'

'Hij bedoelde waarschijnlijk dat hij bereid was een hoop bijkomstige schade onder de bevolking te riskeren – en, uiteraard, de verhoogde hydrostatische schokeffecten van een schot met een hollow point te omzeilen – in de wetenschap dat hij een scherpschutter had die zonder mankeren de kogel in de tiende ring zou schieten. Klinkt inderdaad logisch.' De patholoog knikte met zijn hoofd terwijl hij nogmaals geconcentreerd naar het linker flatscreen tuurde.

'Fijn dat er hier tenminste íéts logisch klinkt,' mompelde Brass.

'Dus ja, ik zou zeggen dat een verharde hogesnelheidskogel zoals jij die beschrijft met gemak een wond kan veroorzaken die we hier bij de hand hebben,' vervolgde Robbins. 'Maar dan vraag ik jou op mijn beurt, hoe ga je dat bewijzen… zeker omdat de kogel helemaal intact is gebleven nadat hij het doelwit had verlaten?' Hij draaide zich met vragende blik naar Grissom om.

'We moeten die kogel zien te vinden en van daaruit terugwerken,' antwoordde Grissom, 'wat nog niet zo onmogelijk hoeft te zijn als het klinkt als…' Hij zweeg even terwijl hij naar het rechter flatscreen bleef kijken. 'Wat is dat?' vroeg hij ten slotte, en hij wees op iets wat leek op een uitvergroot beeld van een merkwaardig verbrijzeld armbot.

'Ik ben er nog niet aan toegekomen om dat in mijn rapport te zetten,' antwoordde Robbins. 'Ik dacht dat je het misschien wel interessant vond om te weten dat pathologen ook breuklijnen slim kunnen interpreteren... net als criminologen.'
'Een breuklijn in een bot.' Brass kwam dichterbij en staarde over Grissoms schouder naar het digitale röntgenbeeld.
'Een enkel bot lijkt in veel opzichten heel erg op een glaspaneel,' zei Robbins. 'Hier, op deze foto is het beter te zien.' Een nieuwe foto verscheen op het rechter scherm. 'Hier hebben we een prachtige longitudinale breuk in de rechter ellepijp van onze John Doe – veroorzaakt door de impact van een hagelschot aan het distale uiteinde van het bot – die plotseling ophoudt bij een heel keurig afgegrensde gecombineerde breuk... precies hier.' Robbins wees met een vinger naar een gekartelde breuk halverwege het onderarmbot.
'En dat is interessant omdat...?' drong Grissom aan.
'Het is interessant, dénk ik, omdat deze specifieke gecombineerde breuk minstens tien tot vijftien minuten voor de inslag van het hagelschot moet zijn ontstaan... wat, voor zover ik me kan herinneren van jouw tijdslijn van het schietincident, behoorlijk wat moest zijn geweest. Het duurt namelijk minstens zo lang wil zo'n soort blauwe plek zich' – met een muisklik bracht Robbins een kleurenfoto van de zichtbare kneuzing op het onderste deel van John Doe's rechteronderarm op het scherm – 'kunnen vormen. Zaken als omgevingstemperatuur en beschermende kleding zijn natuurlijk van invloed op de timing, maar het onderliggende proces is heel eenvoudig. Het hart van die vent moet behoorlijk hard hebben gepompt om zulke blauwe plekken te kunnen vormen in het gebied van een inslag waarbij weefselbeschadiging optreedt en bloedvaten stukscheuren. En als ik in dit geval de tijdslijn van het schietincident correct heb, zou zijn hart er hooguit binnen een paar seconden voorgoed mee zijn opgehouden nadat hij met 00 hagelkogels uit een geweer zou zijn geraakt.'
'Dus tien tot vijftien minuten vóór hij als een wildeman op die kampeerplek afreed en werd beschoten door verschillende kenne-

lijk verraste undercoveragenten, heeft onze John Doe een soort ongeluk gehad...?' vroeg Grissom.
'Misschien is hij met de truck ergens tegenaan gereden?' opperde Robbins.
'Dat geloof ik niet,' zei Grissom. 'Die oude pick-up zat onder de smerigheid en krassen, nog afgezien van al die gaten die erin zijn geschoten, daar is geen twijfel over mogelijk. Maar al die inslagschades – in elk geval wat wij hebben gezien – waren duidelijk ouder dan een paar dagen... misschien zelfs een paar weken. Ik heb niets gezien wat leek op externe schade die op een recent autoongeluk wees... in elk geval niet ernstig genoeg om daarbij zijn arm te breken.'
'Mee eens, ' zei Brass.
'Nou, dat is dan mooi,' zei Robbins, 'want dat ondersteunt mede mijn theorie dat John Doe voor zijn dood minstens een paar keer hard op iets hards moet zijn gevallen.'
'Een paar keer?'
'Naast dit duidelijke stukje bewijs heb ik recente lichte fracturen gevonden – en direct daaraan gerelateerd schrammen en kneuzingen – op beide knieën, beide dijbenen en beide ellebogen, en in beide handen waren een paar vingerkootjes verschoven. Het is een hele toer om dat in één val voor elkaar te krijgen – niet onmogelijk, maar moeilijk. O, en ik ben er vrij zeker van dat zijn neus ook gebroken was, maar gezien de enorme schade die de kogel in zijn gezicht heeft aangericht kan ik dat niet echt bewijzen. Als je dit allemaal optelt bij zijn gescheurde kleren en het gruis, vuil en zand dat we in de zakken van zijn kleren hebben gevonden, zou ik zeggen dat jullie John Doe behoorlijk gemeen is gevallen – zoals bijvoorbeeld van een rotsklif of zelfs een aanzienlijke bergrots – vlak voordat hij zijn dood tegemoet reed.'
'Echt waar?' Een blik van pure voldoening verscheen op Brass' gezicht: zijn oerinstincten waren opnieuw aan de winnende hand.
'Klinkt alsof hij een behoorlijk akelig laatste uurtje heeft beleefd,' zei Grissom afwezig. Hij had ook het gevoel dat de twee ogenschijnlijk aparte schietincidenten in het Desert National Wild-

park in een merkwaardig met elkaar in verband staande reeks gebeurtenissen samenkwamen. Maar de cruciale bewijzen die de zaken aan elkaar moesten knopen hadden zich nog niet laten zien.
'Zonder meer waar,' stemde Robbins in, 'maar waarschijnlijk niet zo akelig als de laatste week van dít arme schepsel is geweest.' De patholoog pakte opnieuw de muis en er verschenen een paar beelden op het rechterscherm.
'Het muildierhert uit de Toledano-zaak?' Grissom fronste verward zijn wenkbrauwen. 'Ik had het idee dat zíjn leven vrij abrupt eindigde met die kogel door zijn nek.'
'Volgens mij was jij degene die iedereen er altijd aan herinnerde dat de dingen niet altijd zijn zoals ze lijken,' zei Robbins.
'Ik... heb dat meer dan eens gezegd,' erkende Grissom, 'maar hé, wat is dat?' Hij wees op de tweede röntgenfoto naar een donker gebied op het achterlijf.
'Dat vond ik ook al interessant,' zei Robbins terwijl hij naar de in de buurt staande tafel hinkte en een roestvrijstalen kom oppakte. 'Kijk zelf maar.'
Grissom staarde in de kom. 'Is dat de afgebroken punt van een pijl?'
Dr. Al Robbins' rossige gezicht brak in een stralende glimlach open. 'Nee,' zei hij, blij dat hij Grissom eens tuk had, 'dat is niet een afgebroken pijlpunt, het is de afgebroken punt van een kruisboogpijl.'
'Zo'n pijl heb ik nog nooit gezien,' merkte Brass op terwijl hij over Grissoms schouder in de kom keek.
'Dat komt waarschijnlijk omdat geen van jullie beiden veel belangstelling voor middeleeuwse wapens hebben,' zei Robbins met een zelfingenomen grijns. 'Je mist daarmee een fascinerende, hoewel extreem gewelddadige en wrede geschiedenis – waar je vooral te maken had met man-tot-mangevechten met bijlen, knotsen, zwaarden en messen. Je kunt je er geen voorstelling bij maken hoe het zou zijn als je in die tijd patholoog-anatoom was geweest.'
'Liever niet.' Brass kromp ineen.

'En voor het geval je je afvraagt of wij mensen er in de laatste paar eeuwen op vooruit zijn gegaan, moet je weten dat dit arme kleine muildierhert,' vervolgde Robbins terwijl hij met zijn hoofd naar het kleine, met een laken overdekte lijk op de tafel verderop gebaarde, 'een of twee verschrikkelijke weken met ongelooflijk veel pijn op de Sheep Range heeft rondgestrompeld omdat een of andere idioot hem met een kruisboogpijl in zijn achterste heeft geschoten.'

Brass liep naar de tafel, tilde het laken op en bestudeerde terloops de opengesneden linker achterpoot en heup van het hert.

Wendy Simms bleef halverwege de deuropening naar het pathologisch lab staan. 'Zal ik later terugkomen?'

'Niet als je iets voor ons hebt,' zei Grissom terwijl hij haar de labruimte binnenleidde en de deur op zijn hydraulische scharnieren liet terugzwaaien.

'Eigenlijk wel,' zei ze. 'Ik ben klaar met de analyse van die bloedmonsters die Catherine van het truckchassis heeft genomen.' Wendy zweeg even en zocht in haar aantekeningen. 'Vier van de monsters van de rechtervoorkant – ten opzichte van de cabine – waren absoluut menselijk bloed. Ik haal ze op dit moment door de CODIS, samen met een monster van John Doe.'

'En de andere, eh' – Grissom keek op zijn blocnote – 'twaalf monsters?'

'Allemaal van een hert... een muildierhert om precies te zijn,' antwoordde Wendy.

'Net als het weefselmonster dat je uit de kogel uit Toledano's nek hebt geplukt, klopt dat?'

'Nou, ja en nee.' De jonge DNA-onderzoekster hield een slag om de arm. 'De twaalf niet-menselijke bloedmonsters van het truckchassis waren allemaal van een manlijk muildierhert – sterker nog, het gaat om drie onmiskenbaar verschillende herten,' verklaarde Wendy. 'Maar het weefsel in de kogel uit Toledano's autopsie was absoluut van een vrouwelijk muildierhert.'

'O,' antwoordde Grissom met een licht bevestigend schouderophalen, en hij paste snel wat aan in zijn aantekeningen terwijl Brass

terugliep naar de roestvrijstalen tafel met het karkas van het muildierhert, het bebloede laken wegtrok en een van de achterpoten optilde. Toen keek hij naar Robbins en wenkte hem met zijn rechterhand naar zich toe.
'Op school interesseerde het vak biologie me niet zo,' zei Brass toen eerst Robbins, daarna Grissom en vervolgens Wendy het ongelukkige schepsel vanuit een nieuw perspectief onder de loep namen, 'maar het is wel heel handig dat ik het verschil tussen jongetjes en meisjes heb geleerd.'

Een paar minuten later keken Catherine, Warrick, Nick, Sara en Greg op van hun werk toen Grissom de garage van het forensisch lab binnenstormde.
'Sluit hier alles af, berg het bewijsmateriaal veilig op en pak jullie plaats-delictspullen in. We vertrekken over tien minuten,' dirigeerde Grissom. Zijn ernstige toon paste bij de woedende gloed in zijn ogen.
'Wat is er aan de hand?' Catherine realiseerde zich veel meer dan de anderen dat hun anders zo gemoedelijke chef zelden zo'n emotionele uitbarsting had, en al nooit zonder goede reden.
'We zijn er ingeluisd,' mompelde Grissom met opeengeklemde tanden. 'Of preciezer gezegd, ík ben er ingeluisd.'
'Iemand heeft het Toledano-schietincident op de berg in scène gezet om het op een jachtongeluk te laten lijken,' legde Grissom uit, zichzelf tot kalmte dwingend, 'dus we gaan allemaal weer terug om de klus fatsoenlijk te klaren zoals we dat vanaf het begin hadden moeten doen.'
'Naar buiten, in de storm... nu?' Greg staarde Grissom ongelovig aan, zich er niet van bewust dat Catherine, Warrick, Nick en Sara hun plaats-delictspullen al aan het inpakken en hun bewijsmateriaal veilig aan het opbergen waren.
'Ja, Greg, we gaan er nu heen,' zei Grissom met een kalmte die niet in de verste verte leek te passen bij de vastberaden blik in zijn ogen, 'allemaal, behalve jij.'
'Waarom ik niet?'

'Omdat ik jou nog één keer naar de basis terugstuur.' Grissom glimlachte even.
'Dit ga ik niet leuk vinden, hè?' vroeg Greg.
'Nee, waarschijnlijk niet.'

17

In het felle licht van de koplampen van de twee CSI-voertuigen, vier patrouillewagens van de politie van Las Vegas en een servicetruck van het Fish & Wildlife Park zag het omgewoelde en verlaten kamp- annex schietterrein er nog spookachtiger en troostelozer uit dan een paar uur geleden, toen een beschoten rode pick-uptruck in het middelpunt van de belangstelling stond.

Zonder de truck of de voertuigen en kampuitrusting van de undercovers als referentiepunten waren de enige herkenbare elementen waaruit de technisch rechercheurs konden opmaken dat ze op de juiste plek waren de twee reusachtige zwerfkeien die eens hadden gediend als privétoiletruimte voor de undercovers, de provisorische ring stenen van het kampvuur en de stalen staf die Nick diep in de grond had gedreven als referentiepunt voor zijn laserterreinscanner en was vergeten mee terug te nemen.

Terwijl Grissom zichtbaar ongeduldig wachtte, verzamelden Catherine, Warrick, Nick, Sara, parkwachter Shanna Lakewell en zeven geüniformeerde politieagenten zich snel in een slordige cirkel rondom de vuurplaats, waar nu een stapel van twaalf rode verkeerskegels stond en twee roterende lasers op statief. Alle dertien mannen en vrouwen droegen zware waterdichte laarzen en isolerende regenkleding over hun verschillende uniforms en jacks. Het was nog altijd pikdonker en het regende nog steeds, maar de storm leek wat te luwen.

'Zo, wat is het plan?' vroeg agent Lakewell. Op een of andere manier wist ze zowel een energieke als enthousiaste indruk te maken ondanks de waterdruppels die over haar gezicht stroomden.

'Twee plannen,' zei Grissom terwijl hij nadacht over zijn teamopdrachten. 'Het eerste is voor Catherine en Warrick, die gaan met assistentie van agent Cooperson en vijf van haar patrouilleagenten een rasteronderzoek van het terrein uitvoeren. En Warrick helpt bij dat onderzoek met het digitale D3 schietincidentmodel dat hij vanochtend heeft gefabriceerd, zodat jullie de kegels van de twaalf schietlocaties op hun oorspronkelijke plek kunnen terugzetten.'

'Willen we het werk correct uitvoeren, onthoud dan dat we dezelfde genummerde kegels op dezelfde schietposities moeten terugzetten,' zei Warrick.

'Oké,' ging Grissom verder. 'Zodra jullie die kegels weer op hun plek hebben, gaat Warrick met datzelfde model een met laser gecreeerde route vaststellen langs een lijn tussen twee specifieke punten: het gat van de hogesnelheidskogel in de hoek van de truckachterruit – toen de truck halverwege de plek was waar hij uiteindelijk tot stilstand kwam en waar agent Grayson de eerste keer de achterband raakte – en een tweede punt, ruwweg zestig centimeter rechts van de plek waar agent Mace stond toen hij een kogel langs zijn hoofd voelde fluiten.'

'Hoe accuraat is dat?' vroeg Catherine.

'Bijster weinig,' gaf Warrick toe. 'Dat tweede punt is zo onzeker dat de foutfactor absoluut groter wordt naarmate we verder langs die route bij de truck vandaan gaan, maar daar kunnen we niet veel aan doen. Dat zijn de enige twee referentiepunten die we voor deze spookkogel hebben.'

Grissom keek zijn team rond.

'Als die zoekbaan is vastgesteld,' zei hij, 'gaan Catherine en agent Cooperson elk met een metaaldetector en twee geüniformeerde agenten met zaklampen die terreinstukken onderzoeken die Warrick specifiek langs die baan heeft gemarkeerd. De twee teams gaan net zo lang door met dit onderzoek totdat iemand één enkele, verharde geweerkogel van onbekend kaliber vindt, waar wel of niet bloed aan zit, en die wel of niet een groene punt heeft.'

Grissom zweeg even om op een reactie te wachten. Maar tot zijn verbazing kwam er geen commentaar op deze reusachtige taak, of op het feit dat dit nauwelijks kans van slagen zou hebben. 'Er is weinig tot geen bewijs dat erop duidt dat deze kogel veel werd vertraagd toen hij door de schedel van onze John Doe scheurde, en het corresponderende gat door de achterruit van de truck is absoluut veroorzaakt door een hogesnelheidskogel, dus hij kan gemakkelijk vrij ver hiervandaan zijn neergekomen. Maar het lichtpuntje is dat een kogel aanzienlijk groter is dan een naald in een hooiberg... dus moet hij een stuk makkelijker te vinden zijn.'

'Het is daar anders nog steeds een behoorlijk grote hooiberg,' zei brigadier Cooperson.

'Ja, absoluut,' erkende Grissom. 'Het is een reusachtige klus... en dit weer maakt het er ook niet makkelijker op.'

'En wat doen wij?' vroeg Lakewell.

'Wij – jij, Nick, Sara, een van de agenten in uniform en ik – gaan langs het pad de berg op naar de open plek waar we eerder het lichaam van Toledano hebben ontdekt én een mánnetjesmuildierhert. We gaan daar vervolgens het hele terrein opnieuw onderzoeken en nogmaals evalueren, om te proberen erachter te komen waarom en hoe de hollow point, die kennelijk voordat hij meneer Toledano doodde door de keel van ons mannetjeshert is gescheurd, onderweg het weefsel van een vróúwtjesmuildierhert heeft weten op te pikken.'

Lang voordat het gebrul van de GMC Denali-motoren op de open plek hoog op de berg te horen was, hadden de flakkerende koplampen Viktor Mialkovsky al voor het CSI-team gewaarschuwd. Dus tegen de tijd dat de twee CSI-voertuigen, vier politiepatrouillewagens en een truck van het Fish & Wildlife Park op de verlaten kampeerplek waren geparkeerd en de dertien figuren zich in de verte om de vuurplaats hadden verzameld, was de jager-doder naar de rand van de hoge open plek gegaan – met uitzicht over de vallei daaronder – waar hij ten minste een paar van hun activiteiten door de kruisdraden van zijn door het weer geteisterde, maar nog altijd functionerende nachtvizier kon volgen.

De storm, die hem het grootste deel van de nacht veroordeeld had tot de smalle grot waarin hij zich schuilhield, leek af te nemen. Nu, nog geen anderhalf uur voor het aanbreken van de dageraad, was de roffelende regen overgegaan in een gestage miezer, slechts zo nu en dan onderbroken door ronddwarrelende, ijskoude windvlagen.

Helaas kon hij er geen peil op trekken of de storm echt ging liggen… of alleen maar bezig was om op adem te komen. Ondanks de bescherming van zijn kleine grot en zijn voortdurende inspanningen om warm te blijven en steeds wat te eten en te drinken, realiseerde Mialkovsky zich dat het feit dat hij zo lang op grote hoogte was blootgesteld aan de elementen behoorlijk zijn tol begon te eisen van zijn kracht, uithoudingsvermogen en concentratie. Hij wist dat hij zijn afdaling niet veel langer meer kon uitstellen, zelfs als de storm weer zou aanwakkeren. Maar voor hij daaraan begon, wilde hij zijn nieuwsgierigheid bevredigen over wat er op dat verre kampeerterrein aan de hand was.

Mialkovsky richtte zijn nachtkijker op die ene, onherkenbare figuur die de anderen kennelijk instructies gaf. Op deze afstand was het onmogelijk om de ene persoon van de andere te onderscheiden, ook al hadden ze niet allemaal dezelfde regenkleding aangehad, maar hij zocht naar een visuele aanwijzing die zijn gevoel zou bevestigen dat Grissom was teruggekomen, nogmaals, om hem zowel overdag als in zijn dromen na te jagen.

Ja, jij bent het… het moet wel. Je bent zo godvergeten koppig, weet je dat? Wat heb je tussen al dat bewijs dat je hebt verzameld gevonden? Moet heel wat zijn geweest als je in dit weer je hele team mee terug sleurt.

Onbevreesd en zelfverzekerd in zo veel andere opzichten, vond Viktor Mialkovsky het ironisch dat hij zich ongemakkelijk voelde doordat een enkele forensisch onderzoeker op een verlaten schietterrein nogmaals opdook. Voor een deel, realiseerde hij zich, kwam dat door het feit dat hij nog geen antwoorden had op de andere wildcardfactoren in deze hele puinhoop.

Maar wat Mialkovsky pas echt frustreerde was dat hij het gevoel had dat Grissom en zijn onderzoekers zelf de antwoorden hadden gevonden of daar heel dichtbij waren. En als dat het geval was, wist de jager-doder dat het succes van zijn missie – en zelfs de noodzakelijke aspecten van zijn ontsnapping – tenietgedaan konden worden door gebeurtenissen die hij niet kon voorspellen en waar hij geen enkele macht over had.

Hij was nog steeds over die frustraties aan het nadenken, toen vijf van de figuren in de verte zich plotseling van de anderen losmaakten en naar de geparkeerde voertuigen liepen.
Een paar ogenblikken later voelde Mialkovsky zijn hart verstrakken toen hij zag dat twee van de voertuigen – de Wildpark-servicetruck en een van de donkere Denali's van het CSI-team, van de kampeerplek wegreden in de richting van de zandweg tot onder aan de voet van de Sheep Range.
'Je hebt inderdaad iets gevonden, klootzak,' mompelde hij. Hij liep snel van zijn uitkijkpost naar de grot terug, en vroeg zich af of hij in het uiterste geval op de technisch rechercheurs zou moeten schieten om te kunnen ontsnappen.
Daar kijk ik bepaald niet naar uit, dacht Mialkovsky terwijl hij zich voorzichtig een weg zocht over een extra stijl en glibberig gedeelte van de rotsen, zich tot langzame en doelbewuste bewegingen dwingend, maar deze keer zouden ze wel eens te ver kunnen gaan.

18

Grissoms aandacht werd getrokken door de hoeveelheid vervaagde bandensporen – allemaal ernstig door de storm aangetast, maar nog steeds duidelijk zichtbaar in de koplampen van de Wildpark-servicetruck – terwijl de twee stijgende voertuigen de voet van de Sheep Range naderden.

'Stop de auto eens naast de weg, Shanna, daar,' zei hij tegen de jonge parkwachter, terwijl hij naar een relatief vlak gedeelte met zand en grind wees, ongeveer vijftig meter voor de bergvoet.

Zodra de truck tot stilstand kwam, stapte Grissom aan de passagierskant uit, met een extra sterke zaklantaarn in zijn linkerhand, een canvas gereedschapskit in zijn rechter en een volgepakte rugzak over zijn schouder. Hij liep naar de in elkaar overlopende bandensporen toe, snel gevolgd door Nick, Sara, Lakewell en agent in uniform Joe Carson, die ieder hun eigen lantaarns, gereedschapskits en rugzakken droegen – allemaal vol apparatuur en voorraden, behalve die van Sara.

Gedurende twee minuten lieten de drie technisch rechercheurs en de twee agenten hun lampen snel over de sporen glijden terwijl ze zich in vijf verschillende richtingen verspreidden.

'Ziet iemand een bruikbaar stuk?' riep Grissom ten slotte vanaf zijn positie naast een paar grote zwerfkeien, ongeveer vijftig meter bij de voet van de berg vandaan.

'Hier niet,' antwoordde Nick. 'Op zijn hoogst de breedte van de band, en zelfs dat is een schatting. En voor zover ik het kan overzien zijn alle bandenprofielen die eventueel nog in het stof of zand te zien waren weggespoeld.'

'Hier net zo,' zei Sara. 'Maar het is duidelijk dat hier twee verschillende wagens zijn geweest, die allebei behoorlijk snel de weg af zijn gereden.'

'En je kunt er ook uit opmaken dat het voertuig met de smallere

banden – qua breedte volgens mij overeenkomend met de banden van de pick-up – hier later was dan het eerste voertuig en als eerste weer is weggereden,' voegde Nick eraan toe terwijl hij met zijn digitale camera met flitslicht foto's van de sporen begon te maken, waarbij hij een tweedimensionale rasterliniaal als ijkpunt gebruikte.
'Dat klopt met onze rode pick-up en de grote donkere SUV,' zei Grissom terwijl hij het licht van zijn zaklamp over het relatief vlakke terrein liet gaan, dat duidelijk voor minstens een van de twee wagens als parkeerplaats had gediend.
'En hier is het spoor waar ze naar boven zijn gegaan... en kennelijk met een behoorlijke vaart weer naar beneden zijn gekomen,' riep Lakewall, die samen met agent Carson vlak bij de voet van de berg stond en met haar lichtstraal in een gat tussen een paar met graffiti bekladde zwerfkeien scheen.
'Waar gaat dat heen?' vroeg Grissom, terwijl de drie rechercheurs zich snel bij Lakewell en Carson voegden.
'Het komt uit op een behoorlijk grote, rotsachtige open plek, zo'n tweehonderd meter hoger,' antwoordde Lakewell. 'Misschien tweehonderdvijftig als je alle kronkels meetelt.'
'En dat is ook de open plek waar we Toledano's lichaam hebben gevonden?' vroeg Grissom.
'Ja, dat kan bijna niet anders,' antwoordde Lakewell. 'Het is het enige grote vlakke terrein in het zuidelijk deel van het reservaat.'
'Tweehonderd meter bergop, in het donker en met motregen om de dingen nog spannender te maken,' zei Sara. Ze zwaaide met haar zaklamp over de duidelijk zichtbare rotsen boven haar hoofd. 'Klinkt als een prachtige manier om een gemene smak te maken. Kunnen we niet beter op de helikopters wachten?'
Grissom keek op zijn horloge. 'Het duurt nog wel even voordat die er zijn, zelfs als het weer redelijk rustig blijft,' zei hij, 'en we moeten vóór het licht wordt daarboven ons onderzoek doen.'
'O ja?' echoden Nick en Sara, terwijl ze eensgezind hun wenkbrauwen optrokken.
'Absoluut, ja,' zei Grissom zonder verdere uitleg.

'Het duurt niet zo lang voor we boven zijn, maar het is geen gemakkelijke klim,' waarschuwde Lakewell.
'Dat is oké, we moeten het pad onderweg toch grondig onderzoeken,' zei Grissom terwijl hij aan het pad begon en met zijn zaklamp over de smalle doorgang zwiepte. 'En trouwens, de terugweg is een stuk makkelijker.'
'Hoe kom je daar nou bij?' vroeg Lakewell. Om het reservaat te leren kennen had ze deze tocht in de afgelopen paar maanden minstens een keer of zes gemaakt, en ze wist maar al te goed hoe makkelijk je kon uitglijden en vallen als je langs het verraderlijke pad afdaalde.
'Ik heb geregeld dat Greg ons komt oppikken,' zei Grissom over zijn schouder, terwijl zijn ogen zich al concentreerden op het stuk grond dat in het schijnsel van zijn zaklamp oplichtte.

Het was politieagent Carson – een naar eigen zeggen kundig en ervaren klimmer, maar lang niet zo behendig en energiek als Lakewell – die de helm vond, ongeveer vijftig meter het pad op. Een gedeukte en verbrijzelde nachtkijker hing nog aan een enkel, half afgescheurd stuk tape.
'Is dat niet een van de oudste modellen nachtkijkers? Die heb ik in geen dertig jaar gezien,' zei Carson toen hij de helm aan Grissom gaf.
'Ja, dat zou wel kunnen,' zei Grissom. Hij bestudeerde de helm zorgvuldig voor hij hem aan Sara gaf. 'En het lijkt erop dat er aan de binnenkant van het montuur een beetje bloed zit. Kun je daar een monster van nemen?'
'Natuurlijk, geen probleem.'
Sara wachtte terwijl Nick snel een foto van de helm met kijker nam, zijn camera wegstopte en vervolgens een opgevouwen stuk waterdicht zeil uit zijn rugzak haalde. Met behulp van Grissom, Lakewel en Carson vouwde hij het zeil open en hield dat boven Sara als een beschermend afdakje, terwijl zij een wattenstaafje uit haar regenjaszak haalde en snel van de binnenkant van het gebroken en verbogen montuur een bloedmonster nam. Toen liet ze de

helm met het montuur in een plastic zak glijden, stopte het ingepakte bewijsstuk in haar lege rugzak en keek naar de groep op. 'Volgende?'

Lakewell – die zich met haar zaklantaarn, gereedschapstas en rugzak nog altijd als een van haar dierbare dikhoornschapen over de rotsen bewoog, terwijl alle anderen nu langzaam buiten adem raakten – vond de vernielde nachtkijker... en daarna, een ruime meter verderop, een zwaar gedeukt Uzi-machinegeweer vol krassen, ongeveer halverwege het pad.

'Dat is nou wat je noemt automatisch geweervuur,' merkte Nick op.

'En heel goed mogelijk de reden waarom onze John Doe zich zo snel van de berg uit de voeten maakte,' zei Grissom. Hij tilde nogmaals een hoek van het uitgevouwen stuk zeil op terwijl Nick voorzichtig het dodelijke aanvalswapen ontlaadde, het in een grote papieren zak stopte en het pakketje in Sara's rugzak deed.

Op driekwart van het pad was het opnieuw Lakewell die het volgende bewijsstuk vond terwijl de rest van het CSI-team op de meest comfortabele rotsen die ze konden vinden aan het uithijgen waren.

'Denk je dat dit relevant is?' vroeg ze, terwijl ze een houten geval aan Grissom gaf.

'Ja, inderdaad,' zei Grissom terwijl hij met zijn zaklamp eerbiedig het grove wapen bestudeerde, als een devoot gelovige die een oud religieus icoon in handen had.

'Wat is het?' Nick dwong zichzelf op te staan en liep ernaartoe om de laatste vondst te bekijken.

'Volgens mij is het een kruisboog,' antwoordde Grissom met een flauw glimlachje.

'Dat ding? Je maakt een geintje, zeker.'

'Ik denk niet dat onze brave dokter Robbins dit een klassiek geconstrueerde kruisboog zou noemen,' zei Grissom, terwijl hij glimlachend naar Nick opkeek, 'maar een roestige strook truckstaal waarop aan het uiteinde een stuk hout van vijf bij tien centimeter is geschroefd zou een aanzienlijke hoeveelheid spanning op een boogpees moeten opleveren. Toegegeven, hij ziet er bepaald niet veilig te hanteren uit, of zelfs makkelijk te spannen, maar als je arm bent én honger hebt, en het niet erg vindt om flexibel om te gaan met de plaatselijke regels...'

'Dat hertenbloed achter in de truck...' Nick staarde omlaag naar het wrede wapen toen het hem plotseling begon te dagen. 'Denk je dat onze John Doe gewoon een hertenstroper kan zijn geweest en geen drugsdealer of moordenaar?'

'Dat is absoluut een mogelijkheid,' zei Grissom.

'Maar... wat is hierboven dan gebeurd?' vroeg Lakewell, naar het pad starend.

'Dat,' zei Grissom, terwijl hij op zijn horloge keek en zichzelf toen op zijn pijnlijke benen overeind dwong, 'is precies wat we moeten gaan uitzoeken.'

19

Hoofdinspecteur Jim Brass liep de grote garage van het forensisch lab binnen en zag door de open garagedeur dat Greg Sanders buiten een roestvrijstalen vat van een meter hoog achter in een van de Denali's van het CSI-team zette. Nog twee vaten stonden op de grond naast zijn voeten.

'Hé, Greg,' riep hij, 'waar is Gil?'

'Op de plaats delict, met de rest van het team, inspecteur,' zei Greg terwijl hij het volgende vat wilde pakken.

'Van dat undercover schietincident bij Sheep Range, bedoel je?'

'Ja, die, en ook van het jachtincident op de berg, daar ben ik vrij zeker van.'

'Wat doet hij daar?' vroeg Brass.

'Ik weet het eigenlijk niet.' Greg keek op zijn horloge. 'Ik denk dat ze meer bewijs willen hebben.'

'Meer bewijs waarvan?'

Greg schudde zijn hoofd. 'Dat heeft hij niet gezegd. Het enige wat ik weet is dat ik er ook heen moet... en dat ik laat ben omdat we niet genoeg van dit mengsel op het lab hadden en ik de rest uit het magazijn moest halen... en Grissom zal behoorlijk pissig zijn als ik niet...'

'Ga maar.' Brass maakte een wuivend handgebaar en keek toen geamuseerd toen de jonge onderzoeker op de bestuurdersdeur van de Denali afstormde. Even later verdween het zwarte CSI-voertuig in de duisternis en motregen.

Brass rolde met zijn ogen, sloeg op de knop om de garagedeur te sluiten en wilde net naar de beschoten rode pick-up lopen, toen computertechnicus Archie Johnson de garage binnenstormde.

'Sir, weet u waar Grissom is?' vroeg de jonge technicus, met opengesperde ogen en – naar het Brass toescheen – mogelijk zelfs een beetje bang.

'Greg vertelde me net dat het hele team weer naar Sheep Range terug is,' zei Brass. 'Is er iets...?'
'O, geweldig,' fluisterde Archie.
'Wat is er?' vroeg Brass op scherpe toon.
'Ik... eh, denk dat u maar beter mee kunt komen.'

Toen Brass achter Archie Johnson de vergaderruimte van het forensisch lab binnenliep, trof hij daar ballistisch onderzoeker Bobby Dawson aan en een in velduniform geklede legerofficier die hij niet herkende en die aan de vergadertafel zat. Beiden staarden geconcentreerd naar het scherm van een laptop, maar Bobby stond onmiddellijk op.
'Hoofdinspecteur Brass, dit is kolonel Sanchez.' Hij gebaarde met een hand naar de legerofficier, die ook opstond.
'Kolonel,' zei Brass, op zijn hoede, 'wat kan ik voor u doen?'
'Eigenlijk zou ik u eerder moeten vragen wat ik voor u kan doen,' antwoordde de kolonel terwijl hij Brass ferm de hand schudde.
'Sorry, ik begrijp niet...?'
'Het is mijn schuld, sir,' kwam Archie snel tussenbeide, nog steeds met grote ogen en angstig. 'Grissom heeft me gevraagd een paar digitale foto's van zijn datastick te halen en hem te helpen een soort kogelbaan te bepalen bij dat jachtincident boven op de Sheep Range. Dus ik heb alle foto's gedownload en wilde er net doorheen lopen om degene die hij bedoelde ertussenuit te halen, toen...'
'... toen ik de vergaderruimte binnenkwam met kolonel Sanchez, die ik heb gebeld en gevraagd of hij zo snel mogelijk hierheen kon komen omdat ik er bijna zeker van ben dat ik, volgens *míj*, de kenmerkende markeringen van een TX12-20 heb aangetroffen op de kogel die Doc Robbins uit Enrico Toledano's nek heeft gehaald,' onderbrak Bobby hem.
'De TX12-20 is een experimentele geluiddemper die voor onze speciale commando's is ontwikkeld,' legde kolonel Sanchez uit. 'Het is uitermate vertrouwelijk, topgeheim... wat betekent dat zelfs een politievuurwapenexpert als meneer Dawson daar niets van hoorde te weten... maar het lijkt erop dat onze ontwikkelingstech-

nici het behoorlijk moeilijk vinden om niet uit de school te klappen.'
'Wat?' Zo mogelijk leek Brass nu nog meer in de war.
'Het ongelooflijke van de zaak,' zei Bobby, 'is dat de ontwerpers moeten hebben uitgevonden hoe ze nanobuisfibers in geweerlopen kunnen incorporeren – iedereen dacht dat het onmogelijk was om tien miljard van die dingen in een precieze, cilindrische uitlijning in elkaar te zetten. Je kunt ze alleen zien – of feitelijk alleen de piepkleine krasjes op de koperen huls van een kogel – met een scan-elektronenmicroscoop. Ik had van het concept gehoord, en toen ik die markeringen onder de SEM zag – tenminste, ik was er vrij zeker van dat het om deze krassen ging omdat mij niets anders bekend is wat zúlke fijne lijntjes in koper achterlaat – heb ik de kolonel gebeld omdat we elkaar eerder op de schietbaan hebben ontmoet en ik vond dat hij hiervan op de hoogte gesteld moest worden.'
'En meneer Dawson heeft gelijk: het is verdomd goed dat hij heeft gebeld, en wel híérom,' zei Sanchez terwijl hij op een knop op de laptop drukte.
Onmiddellijk verscheen op de tegenoverliggende muur het enigszins door de regen vervaagde beeld van een richel die bezaaid lag met rotsen en zwerfkeien.
'Wat is dat?' vroeg Brass, bedenkend dat het beeld hem bekend voorkwam.
'Dat is een overzichtsfoto van het Toledano-schietincident op de berg, die foto heeft Gil genomen vlak voordat hij achter je aan liep naar de plek waar je het hertenkarkas hebt gevonden,' legde Archie uit.
'En dat is de foto die op de muur geprojecteerd stond toen de kolonel en ik hier Gil kwamen zoeken,' vervolgde Bobby. 'Alleen geen van ons merkte op wat de kolonel onmiddellijk zag.'
'De linkerbovenhoek – waar je de twee kleine lichtreflecties ziet – ga je gang, alsjeblieft,' beval kolonel Sanchez, en hij wachtte geduldig toen Bobby snel het beeld op het laptopscherm manipuleerde. Even later veranderde het beeld op de muur.
'Wat is dat, verdomme?' fluisterde Brass; hij voelde een rilling langs zijn nek gaan.

'Dat is een TX12-20 geluidsonderdrukker – of geluiddemper, zo je wilt – gemonteerd op een standaard militair M24 scherpschuttersrepeteergeweer,' antwoordde Sanchez.
'Nee, ik bedoelde...'
'Ik weet wat u bedoelde, hoofdinspecteur,' zei Sanchez. 'De persoon die dat wapen vasthoudt draagt een militair Ghillie-scherpschutterspak en een nachtkijker, en hij zit in een klassieke positie om te observeren... of in actie te komen.'
'Bij "in actie komen",' zei Brass zacht, 'bedoelt u...?'
'Zijn doelwit doden... of doelwitten,' besloot Sanchez. 'Ik begrijp dat er twee van jullie op de berg waren op het moment dat deze foto werd gemaakt.'
'Wat doet een legerscherpschutter in hemelsnaam daarboven... in een federaal reservaat... en waarom richt hij een wapen op ons?' vroeg Brass op scherpe toon, nauwelijks in staat iets uit zijn dichtgeknepen keel te persen.
'Om te beginnen is de man op die foto – als zijn identiteit tenminste klopt, en ik geloof dat ik gelijk heb – geen scherpschutter meer van het Amerikaanse leger... of zelfs een misdaadonderzoeker uit het leger... of zelfs nog onderdeel van het leger. Sterker nog, we hadden de indruk dat hij een halfjaar geleden was gesneuveld bij een nogal gewelddadige actie.'
'U kunt hem aan de hand van die foto identificeren?' vroeg Brass, terwijl hij naar het vage beeld staarde waarop hij niet eens een menselijke gedaante had herkend als Sanchez hem niet op de specifieke uitrustingsstukken had gewezen.
'Ik ben zeker van de geluiddemper, vanwege zijn kenmerkende vorm en omdat hij als enige wordt vermist van de heel weinig exemplaren die we in voorraad hebben. Het feit dat eerste sergeant Viktor Mialkovsky er een in zijn uitrusting had op het moment dat hij, naar we aannamen, door een dronken vrachtwagenchauffeur vanaf een bergweg in een heel diep meer werd gereden brengt mij tot de overtuiging dat we hier naar een herrezen eerste sergeant Mialkovsky kijken. Dat, en door het feit dat Mialkovsky in Afghanistan de pink van zijn linkerhand verloor – ironisch genoeg door

zijn eigen mes, terwijl hij druk bezig was iemands keel door te snijden – ben ik er zeker van dat we hier een positieve identificatie hebben. Je kunt nog net zien dat aan de linkerhandschoen die de geweerlade vasthoudt de vierde vinger ontbreekt.'

'Jezus,' fluisterde Brass.

'Zeg dat wel.' Sanchez knikte instemmend. 'Zoals u wellicht al uit mijn opmerkingen hebt begrepen, was eerste sergeant Mialkovsky – en dat is hij nog steeds – een extreem kundig en uiterst gevaarlijk individu. Het feit dat uw technisch rechercheur precies op het moment dat hij het geweer ophief die foto nam – en zo de reflectie in zijn nachtvizier en nachtkijker genereerde die ik zag op de foto die meneer Johnson aan het onderzoeken was – is puur toeval. Als dat glimpje ongeluk, wat hem betreft, er niet was geweest, dan betwijfel ik of u ooit had geweten dat hij daarboven zat.'

'We wísten het ook niet,' fluisterde Brass. 'We hadden geen flauw benul...'

'Uw probleem is natuurlijk wat hij daar eigenlijk aan het dóén was,' zei Sanchez meelevend. 'Ik heb van meneer Dawson begrepen dat eerder vanavond op die locatie een lid van de georganiseerde misdaad – ene meneer Enrico Toledano – is gevonden en doodgeschoten?'

'Ja, dat klopt,' zei Brass.

Sanchez fronste zijn wenkbrauwen. 'Dat is betreurenswaardig, want het ziet er sterk naar uit dat eerste sergeant Mialkovsky op een of andere manier bij dat schietincident betrokken was... en dus ziet het ernaar uit dat hij nu gebruikmaakt van zijn aanzienlijke vaardigheden voor minder eervol werk.'

'Als een professionele huurmoordenaar?' Brass zag bleek.

'Daar lijkt het wel op,' zei Sanchez. 'Het is zeker niet de eerste keer dat een van onze soldaten het schurkenpad op gaat, maar de interessante vraag is: waarom was hij nog steeds op de berg toen die foto werd genomen?'

'Ik begrijp het niet.'

'Hoelang was meneer Toledo dood voordat u en meneer Grissom naar boven gingen om het terrein te onderzoeken?'

'Dat weet ik niet.' Brass haalde zijn schouders op. 'Minstens een uur of twee... misschien wel langer.'
'Dat slaat nergens op,' zei Sanchez, 'want een professionele moordenaar met de schiet-, verkennings-, overlevings- en vluchtkwaliteiten van een man als eerste sergeant Mialkovsky zou binnen een paar minuten na zijn moord al lang van de plaats delict weg zijn geweest. Ik kan geen enkele reden bedenken waarom hij in de buurt is gebleven, tenzij...' Sanchez keek Brass recht in zijn opengesperde ogen.
'Dat is omdat wij er waren?'
'Dat is een plausibele verklaring,' zei Sanchez, 'behalve één klein dingetje.'
'U bedoelt waarom hij ons niet heeft vermoord toen hij de kans had?'
'Nee, ik bedoel waarom heeft hij jullie niet vermoord, punt?' corrigeerde de kolonel. 'Met het geweer was hij binnen twee seconden klaar geweest, op zijn hoogst... of hij had een mes kunnen gebruiken... of een handig stuk rots... of zelfs zijn blote handen.'
'Maar we waren allebei gewapend,' wierp Brass tegen.
'Met pistolen?'
'Inderdaad.'
'En ik neem aan dat u niet... omzichtig of defensief was?'
'We stonden daar open en bloot, keken met zaklantaarns het terrein rond,' kraste Brass terwijl het hem begon te dagen.
Sanchez glimlachte meevoelend.
'Maar er waren wél helikopers in de lucht,' voegde Brass eraan toe.
De kolonel kneep zijn ogen samen. 'Van ons?'
'Nee, een van ons... en een Black Hawk van de DEA,' zei Brass.
'Dan zat hij niet achter u aan – tenminste niet op dat moment,' zei Sanchez na een korte aarzeling. 'Hij zou die helikopters niet als een grote dreiging of beletsel hebben beschouwd. Misschien was degene op wie hij wachtte nog niet komen opdagen.'
Brass knipperde plotseling geschrokken met zijn ogen. 'Bedoelt u dat hij nog steeds daarboven kan zijn?'
'Als eerste sergeant Mialkovsky inderdaad op iemand zat te wach-

ten, of op het moment dat er iets zou gaan gebeuren, dan ziet het er niet naar uit dat uw mensen hem hebben afgeschrikt... en hij zou zeker geen last hebben van het gure weer waar we nu mee te maken hebben,' zei Sanchez met een glimlachje. 'Hoezo, maakt u zich zorgen?'
'Grissom is met zijn hele team teruggegaan,' zei Brass, en terwijl hij zich dat realiseerde, sperde hij zijn ogen wijd open.
Sanchez keek met een ruk op. 'Zijn ze naar de berg teruggegaan... waar die foto is genomen?' De donkere ogen van de kolonel schoten vervaarlijk vuur.
Brass knikte verstomd.
'Hoelang geleden?' vroeg Sanchez op bevelende toon terwijl hij een mobieltje uit zijn riem trok.
'Dat weet ik niet,' gaf Brass toe. 'Drie kwartier... misschien een uur. Ze moeten vanaf de weg over een pad klimmen omdat onze helikopters nog aan de grond staan.' Hij frummelde aan zijn eigen mobieltje. 'Ik kan ze maar beter waarschuwen...'
'Wacht, maken jullie gebruik van gecodeerde communicatie?' vroeg Sanchez terwijl hij snel een paar knoppen op zijn telefoon intoetste.
'Niet met de mobiele telefoons,' antwoordde Brass aarzelend.
'Probeer ze dan maar niet te waarschuwen. Mialkovsky luistert de frequenties af, daar kun je donder op zeggen.'
'Maar...'
'Met kolonel Sanchez,' blafte de legerofficier in zijn telefoon. 'Ik roep een Echo-Charlie-Romeo-alarm af... ik herhaal, Echo-Charlie-Romeo... compleet peloton – beide squadrons – nachtzichtapparatuur en munitie op scherp. Dit is geen oefening.'
Sanchez zweeg even om te luisteren naar wat de dienstdoende officier hem antwoordde.
'Licht bovendien kapitein Jambeau en luitenant Maddox in, de twee squadronsergeants, en alle verwante en supportunits, dat hun doelwit eerste sergeant Viktor Mialkovsky is.'
Sanchez zweeg opnieuw.
'Precies, eerste sergeant Mialkovsky leeft kennelijk nog en fungeert

nu als een actieve vijandelijke strijder in onze onmiddellijke omgeving. De politie van Las Vegas heeft bij aankomst op de oostzijde van de Sheep Range één dode aangetroffen die met zijn activiteiten in verband staan, en misschien zijn er anderen in het gebied. Meld aan alle units dat Mialkovsky is gewapend met een Alpha-Tango-Nora nachtvizier, en een Tango-X-Ray-twaalf-twintig geluiddemper, en dat hij volledig is uitgerust voor nachtpatrouille. Ik zal onze toegang tot het reservaat coördineren. Meld alle units ook dat een CSI-team van de politie van Las Vegas nu ter plaatse is en dat ze niet van Mialkovsky's aanwezigheid op de hoogte zijn.'

Opnieuw een korte stilte.

'Ja, zet ter ondersteuning de Apaches in, maar herinner de bemanningen eraan dat er in de onmiddellijke omgeving gewapende politie-inspecteurs aanwezig zijn die niet weten dat we komen... en we gaan ze niet waarschuwen omdat Mialkovsky ongetwijfeld hun radioverkeer afluistert. We willen nul bijkomende schade bij deze operatie, herhaal: nul bijkomende schade. Geef aan alle units door dat ze groen licht hebben om te schieten wanneer het doelwit is bevestigd, en vijandelijk vuur mogen beantwoorden, op mijn autorisatie. Dat zal ik op de plaats delict nog bevestigen. Uit.'

Kolonel Sanchez stopte zijn mobiele telefoon snel onder zijn riem en keek Brass toen recht in de ogen.

'Hoofdinspecteur,' zei hij, 'ik moet onmiddellijk met uw chef praten. We moeten een paar uitermate ernstige wettelijke kwesties oplossen.'

20

Gill Grissom, Nick Stokes, Sara Sidle en de agenten Lakewell en Carson probeerden boven aan het pad nogmaals op adem te komen terwijl ze met hun nachtkijkers over de rotsachtige open plek uitkeken.
In Grissoms ogen zagen de vele groenschakeringen op de rotsen en zwerfkeien er in de miezerige nachtlucht nog spookachtiger en onheilspellender uit dan een paar uur geleden.
Toen hij zijn positie had bepaald, klapte hij zijn nachtkijker in, haalde hem voor zijn ogen weg en gebaarde dat de anderen hetzelfde moesten doen. Toen schakelde hij zijn felle lamp aan en begon voorzichtig zijn weg te zoeken rondom de rotsen en zwerfkeien op de richel waar hij en Brass het languit liggende lichaam van Enrico Toledano hadden aangetroffen.
'Hier hebben we zijn lichaam en het geweer met geluiddemper gevonden.' Grissom wees met zijn lamplicht naar de twee felgroene omtrekken. 'Daar...'
Hij verplaatste de lichtstraal verder weg naar het midden van de open plek, dat plotseling vaag groen oplichtte.
'Daar hebben we het muildierhert gevonden.'
Hij verplaatste de straal nogmaals.
'En daar verderop – vanaf hier in rechte lijn door de positie van het hert heen – heb ik de lege huls gevonden, en wat leek op een grof ingerichte uitkijkpost om vanuit liggende positie te kunnen schieten.'
Een paar seconden speelden nog vier lichtstralen over de reusachtige rotsen en zwerfkeien.
Ten slotte sprak Sara de woorden uit die alle vier onderzoekers dachten.
'Verwacht je werkelijk van ons dat we voordat het licht wordt deze hele open plek met zaklampen afzoeken, en dat we ook nog iets

weten te vinden... zonder dat we onderweg onze enkels breken?' vroeg ze.
'Nee,' zei Grissom terwijl hij een mobiele telefoon uit zijn jaszak haalde.
'Maar ik dacht dat je zei...?' begon ze. Grissom legde haar met een kort handgebaar het zwijgen op, toetste snel een serie toetsen op zijn telefoon in en hield die toen tegen zijn oor... zei kort iets tegen degene aan de andere kant... en klapte de telefoon dicht. Ten slotte knielde hij neer, opende zijn gereedschapstas en haalde er vijf complete gasmaskers uit en vijf nieuwe spuitbussen met fluorescerende groene verf. Hij gaf elk teamlid een masker en een bus en stond op.
'Ik neem aan dat jullie beiden bevoegd zijn om een gasmasker te dragen?' vroeg hij aan Lakewell en Carson. Beide agenten knikten.
'Mooi. De filters in deze maskers kunnen nogal snel verstopt raken,' vervolgde Grissom, 'maar dat is misschien niet erg omdat de wind en regen in ons voordeel zijn... en we hebben trouwens toch maar een paar minuten om iets te vinden.'
'Dragen we een gasmasker, in de regen, omdat we ons zorgen maken om een beetje spuitbusverf?' vroeg Carson.
'Nee, dat niet precies,' zei Grissom terwijl hij naar de lucht staarde. 'Ah, daar zijn ze.'
Vier paar ogen volgden zijn wijzende hand, en ze zagen allemaal de navigatielichten van de politiehelikopter langzaam omhoogklimmen en ten slotte zo'n dertig meter boven de open plek blijven hangen waar ze het pad verlichtten. Vanuit hun positie konden ze maar nauwelijks de eenzame gedaante van Greg Sanders onderscheiden, die in de deuropening van het vertrouwde luchtvoertuig stond.
'Dit moet een grap zijn,' zei Nick terwijl hij eerst naar de helikopter keek, toen naar het masker en de spuitbus in zijn hand en toen weer naar Grissom.
'Het is een heel gevoelige test,' zei Grissom.
'Ja, inderdaad,' stemde Nick in. 'Maar op een enorm gebied met rotsen en zwerfkeien, in de motregen, en na een behoorlijk heftige storm? Denk je werkelijk dat dat gaat werken?'

'Dat zou zeker het geval moeten zijn.'
'Oké, vertel me eens, jongens, wat moeten we proberen niet in te ademen en waarom moeten we deze maskers op?' drong Carson aan.
'Tri-amino-ftaalhydrazine.' Nick maakte de riempjes aan het masker vast.
'Luminolreagens,' voegde Sara eraan toe terwijl zij de riempjes aan haar masker vastmaakte. 'Dat reageert met het ijzer in hemoglobine en veroorzaakt zo een koude chemische luminescentie die met het menselijk oog kan worden waargenomen. Het reagens is niet erg gevaarlijk, maar we passen het op een uitermate onconventionele manier toe en dan kan het geen kwaad voorzichtig te zijn,' zei ze.
'Een luminol-bloedproef, uitgesproeid vanuit een helikopter, midden in een regenstorm?' Carson staarde Sidle aan alsof ze gek geworden was.
'Je moet mij niet aankijken,' ze wees naar Grissom, 'het was zijn idee.'
Grissom verzamelde iedereen dicht om zich heen. 'We moeten ons allemaal zo veel mogelijk op gelijke afstand van elkaar op de open plek positioneren, je gaat op je hurken zitten, wacht tot de helikopter zijn eerste sproeironde heeft gedaan – en pas op, ze moeten behoorlijk laag vliegen, anders verspreidt de luminol zich te veel – en kijkt dan snel naar enig teken van chemische luminescentie op de grond of op de rotsen.'
'Een helderblauwe gloed,' vertaalde Sara voor Lakewell en Carson.
'Correct,' zei Grissom, 'en dat duurt niet lang, zeker niet als je de stromende regen er als factor bij betrekt, dus we moeten echt snel zijn. Zodra je een spoor ziet van een blauwachtige glans ren je ernaartoe en spuit je er zo snel als je kunt een verfcirkel omheen. De groene verf blijft ongeveer een uur in het zichtbare spectrum fluoresceren voordat die gaat vervagen, maar...'
Hij keek snel op zijn horloge.
'... dan komt de zon bijna op zodat we bij een beetje daglicht de gemarkeerde plekken terug kunnen vinden en ze op bloed-gerelateerd bewijs kunnen onderzoeken.'

'Hoe vaak kunnen we dit doen?' vroeg Nick terwijl hij Lakewell hielp bij het vastmaken van haar masker.
'Greg heeft tien veertigliter-vaten met de beschikbare voorraden gevuld. Elk vat is met een slang verbonden aan een sproei-installatie waarmee de reddingshelikopter vorig jaar het grasveld bij de heliport met kunstmest heeft bespoten. Ik schat één vat per keer, die per keer ruwweg een kwart van de open plek bestrijkt, met wat overlap. En we hebben tussen de rondes door maar weinig tijd, want Greg moet tot het laatste moment wachten voordat hij het sodiumperboraat aan elk vat toevoegt.'
'Met deze wind krijg je waarschijnlijk een behoorlijke overlap,' voorspelde Sara.
'Precies,' stemde Grissom in terwijl hij rondkeek. 'Is iedereen zover?'
Nick, Sara, Lakewell en Carson knikten allemaal.
'Oké,' Grissom trok het masker over zijn hoofd, 'op zoek naar bloed!'

Viktor Mialkovsky trok de dunne thermale deken met woestijnpatroon en het camouflagenet strak om zijn lichaam en nestelde zich op zijn nieuwe uitkijkpositie aan de verre zuidwestelijke rand van de open plek, iets minder dan vijfentwintig meter van zijn geplande ontsnappingsroute vandaan. Hij bekeek de vijf onherkenbare figuren door zijn nachtvizier terwijl ze de gasmaskers op hun hoofd zetten en vervolgens naar een punt op de open plek renden en daar op ongeveer gelijke afstand van elkaar bleven staan.
Wat ben je in godsnaam aan het doen, vroeg de jager-doder zich af terwijl hij toekeek hoe de dichtstbijzijnde gedaante – nu minder dan honderd meter bij hem vandaan – plotseling midden tussen de rotsen en zwerfkeien op zijn hurken ging zitten.
Toen begon even later de politiehelikopter aan zijn eerste ronde, sproeide een witachtig spul uit zes spuiten die op de glijders vlak onder de helikoptercockpit waren bevestigd, en Mialkovsky had plotseling een voorgevoel van wat Grissom wellicht probeerde te doen.

O nee... niet na deze storm, zei hij tegen zichzelf, de zuiging voelend toen de politiehelikopter boven hem brulde en plotseling een scherpe bocht naar het zuiden maakte.
Maar toen zag hij een van de gedaanten in het midden van de open plek plotseling naar voren rennen, neerknielen en een wijde cirkel op de rotsachtige ondergrond spuiten, en zijn mond viel open.
Christus, dat is waar ik...
Op dat moment hoorde Mialkovsky het vertrouwde kenmerkende gerommel van een MH-60G Pave Hawk legerhelikopter, die snel vanuit het westen aan kwam vliegen; zijn vier samengestelde rotorbladen klauwden in de ijle berglucht terwijl hij overvloog, omlaagdook, twee donkere gedaanten in het midden van de open plek afzette, die zich onmiddellijk plat op de rotsachtige ondergrond lieten vallen, tweehonderd meter verder naar het zuiden de volgende twee en de laatste twee aan de oostelijke rand van het plateau, en toen met een schuine bocht brullend in de duisternis wegvloog.
Mialkovsky schakelde onmiddellijk over op gevechtsmodus; hij stopte in een reflex een hollow point in zijn geweerkamer, zich vagelijk bewust dat de dichtstbijzijnde CSI-figuur nu als een uitzinnige wegrende naar de uiterst oostelijke rand van de open plek, waar die in het pad overging... een seconde later gevolgd door een andere figuur die opsprong en in dezelfde richting begon te rennen.
Perfect. Blijf maar rennen...
Een halve seconde later had Mialkovsky de eerste gedaante in het dradenkruis van zijn nachtvizier te pakken, met het grootste deel van zijn geest in verhoogde staat van paraatheid – en systematisch registrerend – omdat een tweede Pave Hawk nog drie schutter-spotterteams afzette, ten noorden, noordwesten en oosten ten opzichte van zijn positie. Hij begon de trekker over te halen – had al de tactische beslissing genomen dat het verzorgen van vijf gewonde technisch rechercheurs een handige afleiding zou zijn voor de jager-doderteams wier eerste missie ongetwijfeld was om op hem te jagen en hem te doden – toen net zo'n vertrouwd, maar veel angstaanjagender gebrul van een heel andere helikopter ervoor zorgde dat hij

zich op zijn door zwerfkeien beschutte schuilplek instinctief plat op de grond liet vallen.
Hij had het gevoel – maar hij durfde niet omhoog te kijken – dat de piloot van de AH-64D Apache aanvalshelikopter heel laag en niet zo heel erg snel over de open plek vloog, Mialkovsky uitdagend om een schot te wagen op een van de weinige kwetsbare plekken van het gepantserde luchtvaartuig... waarmee hij zich tegelijk zou blootstellen aan een rotsverbrijzelende vernietigingskracht van het onder de vliegtuigromp gemonteerde 30mm machinegeweer, dat werd bemand door de ongetwijfeld glimlachende Apache-boordschutter.
Viktor Mialkovsky was in de verste verte niet suïcidaal, dus hij bleef platliggen tijdens de vier tot vijf seconden die de Apache nodig had om de open plek over te steken. Toen tilde hij zijn hoofd op, kreeg zijn doelwit weer in het vizier – en zag plotseling in de achtergrond van zijn nachtvizier het gezicht van Gil Grissom opduiken, in een verre, deinende en ogenschijnlijk hallucinerende flits van lichtgroen licht, als een zwevend forensisch bewustzijn.
Mialkovsky deinsde geschokt terug... herstelde zich... en haalde de trekker over, precies op het moment dat een donker gecamoufleerde arm werd uitgestoken die de als een uitzinnige rennende figuur achter een groot rotsblok op de grond trok.
Terwijl hij snel een volgende kogel in zijn geweer laadde, richtte Mialkovsky zijn dradenkruis op de tweede rennende figuur, vuurde een tweede schot af, herlaadde instinctief... en toen kwam er opeens een griezelige kalmte over hem, alsof het hele tafereel plotseling volkomen verstilde op het moment dat de eerste kogel afketste op de verre zwerfkei in het midden van de open plek. Hij kon zich met gemak de opgewonden woordenwisseling tussen de jagerdoderteams voorstellen:
'Inkomend vuur... twee schoten... twee burgers neer.'
'Waar is de schutter?'
'Weet ik niet.'
'Heeft iemand hem gezien?'
Een serie radioklikken seinden negatieve antwoorden.

En dan het zakelijke bevel van de pelotonscommandant:
'Alle teams, handhaaf radiostilte. Lokaliseer bron van inkomende schoten, grijp het doelwit en haal hem neer, nu.'
Mialkovsky voelde de stoot adrenaline door zijn bloedbaan golven terwijl hij op het eerste teken van beweging wachtte, wetende dat de indicatie van het eerste haasje-over springende scherpschutters-team de gekozen tactiek van de pelotonleider zou onthullen. Hij had die rol in zijn carrière talloze malen gespeeld, bijna altijd tot nijd van zijn tegenspeler, de rekruut-luitenant. Maar dat was met nepmunitie geweest – hogesnelheidsverfkogels die de systematisch beetgenomen en overgeleverde jager-doderteams met fysieke kneuzingen achterlieten, samen met hun maar al te zichtbare verfspetters en vernedering. Maar scherpgeladen 7.62 munitie was iets heel anders.
En daarin was Mialkovsky duidelijk in het voordeel: hij had zijn tactische vaardigheden in het hooggebergte van Afghanistan geperfectioneerd, tegen mannen wier geduld en expertise met langeafstandsgeweren zich makkelijk met die van hem konden meten. Het was evenzogoed hun arrogantie geweest als iets anders – het gevoel dat ze religieus superieur waren, en dat ze weigerden hun vijand serieus te nemen – waardoor die Taliban-scherpschutters verdoemd waren, de een na de ander, een fout die deze pelotonleider niet zou maken, dat wist hij zeker.
Maar zelfs de beste jager-dodertactieken falen als de teams aarzelen, bracht Mialkovsky zichzelf in herinnering. Hij glimlachte terwijl hij zich voorstelde hoe de jonge soldaten zouden reageren op hoogstwaarschijnlijk hun eerste keer dat ze werden blootgesteld aan inkomend scherp geschut uit een onbekende richting.
Gedurende een halve minuut bleef hij volkomen onbeweeglijk zitten... keek en wachtte... en knikte ten slotte begrijpend.
Ze sluiten me nog niet in. Proberen eerst de rechercheurs te verzamelen en beschermen. Klotetactiek. Begrijpelijk, maar klote... dat hij zijn teams zo kwetsbaar maakt, alleen om een paar burgers te beschermen.
Mialkovsky glimlachte.

Je verliest het verrassingselement, luitenant. Dit is nog altijd mijn speeltuin, en jij geeft me hier veel te veel manoeuvreerruimte.
Mialkovsky had zijn eerste reeks zetten al berekend, allemaal bedoeld om de drie jager-doderteams, die allemaal zo klunzig uit hun Pave Hawk op de berg waren gedropt, te irriteren en nerveus te maken – zo groen als gras, die rekruten, en ik ben hun eerste prooi, de arme stakkers – toen hij nogmaals het bekende gegrom van een Apache aanvalshelikopter hoorde. Alleen was deze keer het geluid anders... zwaarder... gutturaal... en op een of andere manier intenser.
Twee stuks... en nog iets anders?
De twee aanvalshelikopters kwamen vanuit tegengestelde richting aanvliegen – uit het zuiden en noorden – en deze keer hoger. De angstaanjagende luchtvaartuigen voerden een dodelijke pirouette boven de open plek uit, met dodelijke wervelingen van hun samengestelde rotorbladen, en bleven daar toen hangen, minder dan honderd meter van elkaar...
Wagen jullie het me weer te pakken te nemen? Dank je wel, dat dacht ik niet, dacht Mialkovsky, vagelijk geamuseerd door – en, toegegeven, onder de indruk van – dat typische legermachovertoon van brute vuurkracht dat naar de Sheep Range was gekomen om met één man met één geweer af te rekenen.
... toen de eerste Pave Hawk laag en heel snel vanuit het westen kwam invliegen, en plotseling neerdook als een roofdier dat zijn klauwen naar zijn prooi uitstrekt... maar deze keer dropte hij een enkele figuur uit zijn zijdeur – ongeveer tweehonderd meter ten noordwesten van Mialkovsky's positie – voor hij weer omhoogklom en onder de beschermende, dodelijke, twee daar hangende Apaches wegbrulde.
In tegenstelling tot de drie scherpschuttersteams, wier beperkte trainingsniveau en gebrek aan ervaring duidelijk aan hun aarzelende bewegingen af te lezen was, had deze donkere figuur de helikopter snel verlaten, als een reddingsduiker van de marine, en leek vervolgens nog voor hij de grond raakte in rook te zijn opgegaan.
Shit, vloekte Mialkovsky terwijl hij zich met snelle, krabachtige be-

wegingen terugtrok tot hij zich helemaal had omgekeerd en zijn ontsnappingsroute onder ogen moest zien.

De kat-en-muisspelletjes die Mialkovsky zich enigszins geamuseerd had voorgesteld – hij die zijn tactische voordelen en vakkundigheid zou inzetten tegen de jager-doderrekruten die voor onbepaalde tijd gelegerd waren op het Nellis Test- en Trainingsterrein, voor hij uiteindelijk de dodelijke oefening zou afbreken en in de bergen zou verdwijnen – waren compleet uit zijn bewustzijn verdwenen… net als het vluchtige beeld van de enkele, met een geweer gewapende figuur die, vermoedde hij, nu op nog geen honderdtachtig meter afstand bij hem vandaan was en snel naderbij kwam.

Eerste sergeant Viktor Mialkovsky realiseerde zich dat hij feitelijk overklast en buitenspel was gezet, niet door een luitenant die het bevel voerde over een peleton scherpschuttersrekruten, maar door een veel ervarener en dodelijker man dan hijzelf.

Ik dacht dat je onderhand wel naar huis zou zijn teruggegaan, ongevoelige klootzak die je d'r bent, mijmerde Mialkovsky terwijl hij snel de dunne woestijnwarmtedeken en het camouflagenet dichter om zijn lichaam trok. Niet met majoor Ken Park daarbuiten in de duisternis, die op zijn positie aankoerste als een roofdier dat helemaal boven aan de voedselketen stond. Park, de wijd en zijd vermaarde en gevreesde Zuid-Koreaanse scherpschutter-legerinstructeur – nu te leen uit de Koreaanse republiek – die op verkenners neerkeek omdat ze hem maar in de weg liepen. De enige jagerdoder die eerste sergeant Mialkovsky ooit had verslagen tijdens de geavanceerde tactische scherpschuttersmanoeuvres… en niet één, maar twee keer.

Maar dat had zich voorgedaan binnen de beperkte omtrek van het Nellis Test- en Trainingsterrein, gebruikmakend van losse flodders binnen aan tijd gebonden scenario's, en met oplettende scheidsrechters die ervoor moesten zorgen dat de maar-al-te-echte oefeningen niet uit de hand liepen.

Vandaag geen beperkingen en geen scheidsrechters, majoor. Alleen jij en… en de rekruten die je op je erewoord moet beschermen, omdat je ze opzettelijk aan gevaar blootstelt om een handvol bur-

gers te redden, dacht Mialkovsky met een merkwaardige mengeling van hoop en berusting terwijl hij een laatste check deed op de apparatuur die hij tijdens zijn ontsnapping zou gebruiken, en toen keek hij op zijn horloge.
Tijd was het enige wapen dat hij nu nog had en dat hem nog enig voordeel zou bieden tegen een meesterjager-doder als Park... en hij wist dat die razendsnel wegtikte.
Tijd om op te stappen... nu.

21

Geconcentreerd op hun vastberaden jacht op enig teken van blauwe fluorescentie tussen de duizenden rotsblokken die op de open plek op de berg verspreid lagen, en gewend geraakt aan het rommelende gedreun van de politiereddingshelikopter boven hen, kwam de komst van de eerste Pave Hawk legerhelikopter – die zichzelf met het donderend gebrul van zijn krachtige dubbele motor aankondigde, terwijl hij snel, laag en verduisterd uit het westen kwam aanvliegen – voor Grissom, Nick, Sara, Lakewell en Carson als een complete verrassing.

Als de gerechtelijk onderzoekers de overlevingsinstincten en militaire training van Viktor Mialkovsky hadden gehad, of van de jager-doderteams die waren gekomen om met hem af te rekenen, dan zouden ze bij de plotselinge, angstaanjagende komst van de reusachtige en nagenoeg onzichtbare helikopter onmiddellijk plat op de grond zijn gedoken en naar de grootste zwerfkei die ze konden vinden zijn gekropen.

Maar die instincten en training hadden ze niet, dus gingen de vijf onderzoekers eenvoudigweg op hun hurken zitten, wendden zich in de richting van het geluid en staarden nieuwsgierig omhoog de duisternis in, zich er totaal niet van bewust dat uit het verduisterde luchtvaartuig legersoldaten in donkere camouflagekleding werden gedropt... totdat gealarmeerde stemmen schreeuwden: 'Ga liggen!'

Nick, Sara, Lakewell en Carson gehoorzaamden onmiddellijk; de lage frequentie van de *whoem whoem*-trillingen van de vier militaire aanvalshelikopters en het enkele politieluchtvaartuig echode nu oorverdovend tussen de reusachtige rotsen en zwerfkeien – en de angstaanjagende, dodelijke rotorbladen, die vlak boven hun hoofden door de ijle berglucht maaiden, zorgden er wel voor dat ze zich op de rotsachtige ondergrond lieten vallen en als een gek een goed heenkomen zochten.

Gil Grissom was van zijn stuk gebracht door de afschrikwekkende geluiden en beelden, maar toen hij zich liet vallen en naar de dichtstbijzijnde grote zwerfkei wilde kruipen, zag hij vanaf zijn nieuwe positie een snel vervagende, blauwe fluorescerende gloed onder een grote platte steen, ongeveer twintig meter verderop.
Vastbesloten niet kwijt te raken wat wellicht een cruciaal bewijsstuk kon zijn, haastte hij zich naar de steeds vager wordende gloed, probeerde daarbij zo laag mogelijk bij de grond te blijven, rekte zich naar voren uit en sproeide met de spuitbus in zijn rechterhand een hoeveelheid felgroene, fluorescerende verf over de vage blauwe gloed – en zette zichzelf zonder dat hij het wist tegelijkertijd in het licht – terwijl de krachtige zuiging van de heftig bewegende MH-60G Pave Hawk legerhelikopter, die nog geen zeven meter boven hem hing, hem onzachtzinnig tegen de rotsachtige ondergrond sloeg.

Angstig door de oorverdovende luchtaanval in het donker boven haar, was Sara Sidle nog op handen en knieën naar een in haar ogen iets minder donkere massa van een beschermende zwerfkei aan het kruipen, toen haar nachtblinde blik plotseling werd getrokken naar een kleine uitbarsting van fluorescerend groen licht, ongeveer vijfenzeventig meter bij haar vandaan.
Tot haar verbijstering zag ze in het licht van de fel opgloeiende – hoewel wild wervelende en rondzwaaiende – aerosolwolk hoe Gil Grissom tegen de grond werd geslagen door een reusachtige, donkere en snel bewegende massa die als een monsterlijke roofvogel omlaag leek te duiken, over het uitgestrekte lichaam heen.
'Gil!' gilde Sara. En toen, zonder na te denken over de gevolgen, sprong ze op en begon wanhopig in Grissoms richting te rennen.
Ze had geen moment de donkere, gecamoufleerde arm in de gaten die plotseling werd uitgestoken en haar zijwaarts van haar voeten trok.

Ongeveer acht meter ten noorden van Sidle hoorde Shanna Lakewell – en zag vervolgens vagelijk – Sara Sidle naar de in de verte opgloeiende wolk felgroene verf sprinten. Ze aarzelde slechts een se-

conde en toen sprong ook zij overeind en begon in de richting van het vluchtige licht te rennen dat snel in een stel verspreide dwaallichtjes uiteenviel en waarvan de vage lichtdeeltjes op de grond dansten als de vlammetjes van een uitdovende fakkel.
Net als Sara Sidle zag Lakewell helemaal de hand niet die werd uitgestoken en haar linkerarm vastgreep... maar ze voelde wel de scherpe uitbarsting van pijn toen de high-powered hollow point boven in haar rechterschouder sloeg. Door de woeste impact sloeg ze met een ruk om, wat aan haar longen een kreun van martelende shock ontlokte, terwijl de donker gecamoufleerde gedaante haar achter een beschermende zwerfkei trok.
Overspoeld door de pijn in haar kapotte en verbrijzelde zenuwen hoorde Lakewell vaag de jonge soldaat in zijn radiomicrofoon vloeken. Ze probeerde zich op de woorden te concentreren – realiseerde zich dat ze iets met haar te maken hadden – toen de pijn plotseling verstilde en ze werd overweldigd door een gevoel van vertroosting en een allesomvattende duisternis.

Nog altijd verbijsterd en met veel pijn vanwege de impact van de uitzinnige duik van de Pave Hawk helikopter was Grissom net bezig zichzelf van de rotsige grond op te duwen toen een groot mensenlichaam plotseling op zijn rug landde en zijn bovenlijf opnieuw op de scherpe rotsachtige ondergrond sloeg. Voor de tweede keer in een paar seconden werd de lucht uit zijn longen geperst. Hijgend van de schok en met protesterende longen die om lucht vochten probeerde Grissom tevergeefs zich onder het verpletterende gewicht uit te wringen, en gilde het toen verrast uit van de pijn toen een ongelooflijk sterke, in handschoen gestoken hand de spuitbus uit zijn greep griste.
'Sorry, sir,' gromde een donkere stem achter zijn oor. 'Ik wilde u geen pijn doen, maar ik kan niet toestaan dat u dat verdomde ding opnieuw gebruikt. U verlichtte de buurt verdomme als een bordeel.'
'Wat?' kraste Grissom verward, opgelucht dat zijn longen het weer deden terwijl de man snel wegrolde... maar met een tweede gehandschoende hand op zijn rug bleef drukken.

'U moet uw hoofd laag houden, sir,' beval de donkere stem.
'Oké, doe ik,' beloofde Grissom met trillende stem, zich tegelijk afvragend hoeveel ribben hij had gebroken, 'maar... wie ben je en wat is er aan de hand?'
'Sergeant eersteklas Gardez, sir. Pelotonsergeant, eerste peloton, compagnie scherpschutterstraining. We zijn hier om uw team zo snel mogelijk uit het gebied te evacueren.'
'Je bedoelt weg van de plaats delict?' Grissom wist niet zeker of hij de soldaat goed had verstaan.
'Inderdaad, sir, maar ontspan nu maar een beetje en houd uw hoofd laag,' zei Gardez terwijl hij zijn hand uitstak en Grissom letterlijk naar de dichtstbijzijnde zwerfkei trok, waar een andere soldaat druk in de weer was met zijn radiomicrofoon. 'Dit is luitenant Maddox, commandant van het eerste peloton,' voegde Gardez eraan toe. 'Hij zal u alles uitleggen.' Daarna verdween de pelotonsergeant in de duisternis.
Grissom zette met trillende handen zijn nachtkijker weer voor zijn ogen, waardoor hij eindelijk het groenachtige silhouet van een soldaat in camouflagekleding kon zien die – hoewel aan zijn afgetobde gezicht te zien was dat hij een zwaar bevel voerde – er niet ouder uitzag dan tweeëntwintig jaar.
Grissom wachtte tot de jonge officier klaar was met zijn radio en schraapte toen zijn keel.
'Neem me niet kwalijk, luitenant,' zei de CSI-chef, ineenkrimpend vanwege het onplezierige effect dat praten op zijn pijnlijke ribben had, 'kunt u me vertellen wat hier aan de hand is?'
'Wie bent u?' vroeg Maddox, hij klonk afwezig.
'Ik ben Gil Grissom, supervisor van de CSI-nachtploeg van de politie van Las Vegas... en we zijn hierboven om aan een plaats delict te werken in wat volgens mij een federaal wildpark is. Verkeerde plek?'
'Ja, sir, dat kunt u wel zeggen,' zei Maddox. 'Verkeerde plek, verkeerd tijdstip, maar dat is niet uw schuld.'
'Wiens... schuld is het dan wel?' vroeg Grissom terecht.
'Eerste sergeant Viktor Mialkovsky,' antwoordde de pelotonscom-

mandant, en hij zei vervolgens snel iets in zijn radio wat Grissom niet helemaal begreep.
'En waarom is het sergeant Mialkovsky's schuld?' drong Grissom aan. Hij had het idee dat hij die naam eerder had gehoord.
'Nou... vooral omdat wij geloven dat hij u en uw team probeert te vermoorden.'
'Ons... vermoorden?' Grissom staarde wezenloos in het groenige gezicht van de jonge officier. 'Waarom zou hij dat willen?'
'Geen idee, sir,' antwoordde Maddox. 'Maar het is absolute narigheid, want eerste sergeant Mialkovsky is, naast veel andere dingen, een professionele jager-doder die getraind is om mensen te elimineren. Feitelijk de beste die er is... op majoor Park na,' voegde de pelotonscommandant eraan toe.
'En wie is majoor Park?' Grissom wist niet zeker of hij dat wel wilde weten.
'Hij is die klootzak van een Koreaanse jager-doder die we een paar minuten geleden tussen ons en Mialkovsky hebben gedropt.'
Grissom had geen idee wat de man bedoelde.
'Is dat goed?' vroeg hij ten slotte.
'Ja, sir, dat is absoluut goed, want nu gaan Park en Mialkovsky druk proberen elkaar te vermoorden, en daarmee krijgen wij de kans om u en uw team hier weg te krijgen voordat iemand anders gewond raakt.'
'Iemand anders?'
'Twee leden van uw team zijn gewond, sir. Beiden door geweerschoten, een is er behoorlijk slecht aan toe,' verklaarde de luitenant.
'Weet u ook... wie?'
'Nee, sir, dat weet ik niet. Het enige wat ik weet is dat we op dit moment met een van de Pave Hawks een medische evacuatie proberen uit te voeren, terwijl de Apaches luchtdekking geven. Dat moet voorzichtig, want Mialkovsky zit waarschijnlijk nog binnen schootsafstand en we willen niet dat hij de kans krijgt iemand anders neer te schieten. Die klootzak is verdomme veel te goed met dat geweer.'
Een plotselinge zuiging, vergezeld van het donderend gebrul van

dubbele rotormotoren, deed Maddox Grissom vastgrijpen, hij drukte hem een paar seconden tegen de dichtstbijzijnde zwerfkei tot de vermalende wind en het oorverdovende lawaai ten slotte wegstierven.

'Dat is uw lift, sir,' zei Maddox terwijl hij zijn greep op Grissoms rug losliet.

'Mijn lift?'

'Onze tweede Pave Hawk,' legde de pelotonleider uit. Hij wees naar de aanvalshelikopter die nu geland was en vijftig meter verder met draaiende rotoren wachtte. 'Die brengt u naar het Valley Hospital Medical Center, waar u zal worden onderzocht,' verklaarde de pelotonscommandant.

'Brengen jullie daar ook... mijn gewonde teamleden heen?'

'Precies, sir. Ze zijn nu onderweg, geschatte aankomsttijd over een kleine tien minuten, en de eerste hulp heeft twee teams chirurgen klaarstaan.'

Grissom knipperde met zijn ogen toen hij het plotseling begreep.

'Dus ik kan op dit moment niets voor hen beiden doen?'

'Nee, sir,' zei Maddox, hoorbaar ongeduldig. 'U moet nu maken dat u hier met die helikopter wegkomt, zodat wij verder ons werk kunnen doen zonder dat u ons voor de voeten loopt.'

'Sorry, luitenant, maar ik kan nog niet weg,' zei Grissom op naar hij hoopte redelijk gedecideerde en gezaghebbende toon.

De pelotonscommandant keek hem aan alsof hij niet helemaal geloofde wat hij zojuist gehoord dacht te hebben.

'Meneer Grissom, *sir*, u hebt het zeker niet goed gehoord. Ik heb net uitgelegd...'

'Dat begrijp ik, luitenant, geloof me, ik begrijp het echt,' haastte Grissom zich te zeggen. 'En ik vind het net zo vervelend om hier te zijn als u, sterker nog, het staat me totaal niet aan. Eerlijk gezegd ben ik doodsbang bij de gedachte dat ik word opgejaagd door een professionele sniper, en op dit moment zou ik niets liever willen dan op die helikopter springen en bij mijn team gaan kijken. Maar ik werk aan een moordzaak waarvan ik zeker weet dat de plaats delict in scène is gezet... en de man die dat heeft gedaan zou feitelijk wel

eens uw sergeant Mialkovsky kunnen zijn geweest... en het enige waarmee we dat kunnen bewijzen ligt hier een paar meter vandaan.'
'Kom dan later terug, als we hier klaar zijn. Het bewijs ligt er dan heus nog wel,' zei Maddox op redelijke toon.
'Misschien, maar hoogstwaarschijnlijk niet,' zei Grissom. Hij keek om zich heen en realiseerde zich dat zijn fluorescerende groene verf nu was verspreid in een nauwelijks zichtbare gloed over een gebied zo groot als een basketbalveld. 'Mijn locatiemarkering is weg en die markeringen die mijn andere onderzoekers hebben gemaakt verdwijnen waarschijnlijk terwijl wij hier zitten te praten. En als het zo blijft regenen, zal elk bewijs van bloed dat nog op de plaats delict is achtergebleven zijn opgelost en vernietigd door het wegspoelende water en de zuigkracht van jullie helikopters. En we kunnen niet nog een keer met luminol naar bewijs zoeken, omdat het pas over achttien uur weer donker is... en tegen die tijd zijn de kansen dat we bruikbare bloedmonsters vinden nagenoeg nul.'
Maddox wilde iets zeggen en aarzelde toen.
'Ik heb maar een paar minuten nodig om onder een paar van die rotsen te kijken' – drong Grissom aan terwijl hij naar het terrein wees waar hij, daar was hij vrij zeker van, zijn spuitbus had leeggespoten – 'en daarna onder die rotsen daar.' Hij wees naar een vage groene vlek ongeveer vijftig meter verderop, in het midden van de open plek.
'Op beide locaties bent u open en bloot te zien,' antwoordde Maddox. 'U moet begrijpen dat eerste sergeant Mialkovsky perfect in staat is om in dit weer op achthonderd meter afstand een kogel door uw hoofd te jagen, en we hebben geen idee waar hij op dit moment is.'
'Maar u denkt wél dat hij daar ergens zit, toch?' vroeg Grissom terwijl hij min of meer in westelijke richting wees.
'Dat is de meest waarschijnlijke plek,' stemde Maddox in. 'Maar Mialkovsky is niet aan zijn reputatie – of zijn achtenzeventig gedocumenteerde moorden in Afghanistan – gekomen omdat hij voorspelbaar was.'
'Achtenzeventig?' fluisterde Grissom.

'En dat zijn nog degene die bij ons bekend zijn,' voegde Maddox er veelbetekenend aan toe.
'Dus ik zat te denken,' vervolgde Grissom, en hij moest de woorden eruit wringen, 'misschien kan ik me achter een bewegend object verschuilen?'

Terwijl luitenant John Maddox en sergeant eersteklas Ricky Gardez met afkeurende blik vanuit hun cover toekeken, krabbelde Gil Grissom op handen en knieën naar een stapel stenen in de buurt, waarbij hij zo laag bij de grond bleef als hij maar kon, haalde een paar stenen weg, stak zijn hand uit, raapte iets op en deed het in een plastic bewijszakje... Hij bleef bukken vanwege de rondwervelende zuigkracht van de Apache aanvalshelikopter die zo'n twintig meter verderop op een beschermende – en waarschijnlijk blokkerende – positie was geland, met draaiende rotoren en zijn 30mm mitrailleur naar het westen gericht.
Tweehonderd meter daarvandaan, in diezelfde westelijke richting, patrouilleerde de tweede Apache agressief heen en weer – van noord naar zuid en weer terug – op een hoogte van dertig meter, zoekend naar enig teken van beweging.
'Dat is ongeveer het stomste wat ik in tijden heb gezien,' sputterde Maddox terwijl hij toekeek hoe de gelande Apache plotseling een meter opsteeg, ongeveer vijfenzeventig meter als een dolle stier naar voren schoot en zich toen onder leiding van de vaste hand van zijn doorgewinterde piloot liet terugvallen. Even later haastte Grissom zich naar voren in de richting van de vage groene vlek in de verte.
'Mee eens, sir,' stemde Gardez in.
'Ik heb gehoord dat die CSI-mensen van hun vak hielden, maar ik zou het verdomme niet in mijn hoofd halen om zoiets te doen voor een stukje bewijs... hoe belangrijk dat ook mocht zijn. Wat jij?' vroeg Maddox.
'Met Mialkovsky in de buurt die zijn kans afwacht om een dodelijk schot te lossen?' snoof Gardez. 'Jezus, ik zou het niet eens...'
Op dat moment blafte er een opgewonden stem over de radio.
'Boze beer twee... doelwit gespot... eropaf!'

Door het dreunend gebrul van een 30mm machinegeweer die een drie seconden durend spervuur uit zijn massieve High Explosive Dual Purpose uitspuwde – en dat om de tien seconden – dat over de Sheep Range weergalmde, grepen Catherine Willows en Warrick Brown verbijsterd naar hun hoofd.
'Wat was dat in hemelsnaam?' zei Brown.
De echo van een volgende drie seconden durende uitbarsting donderde door de vallei... onmiddellijk gevolgd door een derde.
'Automatisch geweervuur?' opperde Catherine met wijd open ogen van de schrik.
Het onderzoeksteam op de kampeerplek was tien minuten eerder door de politie op de hoogte gesteld dat militaire aanvalsteams naar de open plek op Sheep Range zouden komen, om af te rekenen met een schurkachtige legerscherpschutter – en om Gil, Nick, Sara, Greg, politieagent Carson en parkwachter Lakewell uit de onmiddellijke omgeving weg te halen. Maar meer informatie hadden ze niet gekregen... behalve dan de waarschuwing dat ze op hun hoede moesten zijn voor individuen die hen te voet zouden naderen, en dat ze geen contact met de onderzoekers op de berg mochten opnemen omdat de vijandelijke sniper waarschijnlijk zou meeluisteren.
'Automatisch helikoptergeschut lijkt me waarschijnlijker,' zei Brown. 'Daarboven zit iemand absoluut in de shit.'
De twee technisch rechercheurs keken elkaar aan, geen van beiden wilde hun bezorgdheid uitspreken: dat de mensen die in de shit zaten heel goed hun eigen kameraden konden zijn.
Patrouilleagent Cooperson kwam op de twee rechercheurs af rennen. 'Ik kreeg net het bericht door dat een legerhelikopter twee gewonde onderzoekers van de Sheep Range naar het Valley Hospital Medical Center overbrengt.' Ze wachtte even om op adem te komen.
'Weet je ook wie dat zijn?' vroeg Brown.
Cooperson schudde haar hoofd. 'Nee, de piloot meldde zich alleen om te rapporteren dat hij met twee gewonden aan boord daarheen ging en hij vroeg of er operatieteams stand-by konden staan.'
'Heeft de piloot ook gezegd hoe erg ze eraan toe zijn?'

'Alleen dat één er slecht aan toe is, maar dat ze beiden stabiel zijn,' zei Cooperson.
Catherine Willows keek om zich een. 'Zijn we hier klaar?' vroeg ze op scherpe toon.
Warrick en Cooperson knikten beiden.
'Inpakken dan maar en op naar de stad,' zei ze, ineenkrimpend toen een vierde uitbarsting oorverdovend automatisch geweervuur over hen heen donderde. 'We moeten zien uit te vinden wat er aan de hand is.'

22

Twee uur later, toen Gil Grissom eindelijk de ballistische afdeling van het forensisch lab van de politie van Las Vegas binnenkwam – met een roestvrijstalen kar waarop twee kleine lijkenzakken en een kleiner bewijszakje lagen, en met Greg Sanders aan zijn zijde – zag hij eruit alsof hij half doodgeslagen en bijna verdronken was. Hij trof een chaotisch tafereel aan.
Hoofdinspecteur Jim Brass en DEA-agent William Fairfax stonden aan de overkant van het lab, gekleed in modderige overalls en laarzen, kennelijk verwikkeld in een verhitte discussie.
Warrick Brown en Archie Johnson zaten midden in het lab achter een computer, negeerden duidelijk het meningsverschil en concentreerden zich op de computer terwijl DNA-expert Wendy Simms over hun schouders meekeek.
Bobby Dawson en Catherine stonden met hun rug naar de hele groep toe met elkaar te delibereren terwijl ze de voorwerpen op hun naast elkaar staande vergelijkingsmicroscopen heen en weer schoven.
Een poosje had niemand in de gaten dat Grissom was gearriveerd. Het was Jim Brass die uiteindelijk opkeek en de CSI-chef in het oog kreeg.
'Gil! Dat werd tijd! Waar heb jij verdomme gezeten?'
Al snel stonden Brass, Fairfax en de leden van zijn CSI- en labteams om Grissom heen.
'Ben je wel in orde?' vroeg Catherine, terwijl ze Grissoms gehavende en druipende gedaante in zich opnam en onmiddellijk de kneuzingen op zijn wang en voorhoofd opmerkte.
'Het gaat prima met me,' zei hij, en hij keek het lab met een angstig voorgevoel rond. 'Eh, heeft iemand Sara of Nick gezien?' vroeg hij ten slotte aarzelend.
'We zijn hier,' riep Sara vanuit de deuropening.
Grissom draaide zich snel om en slaakte een zucht van opluchting.

Hij wilde iets zeggen maar wachtte even toen hij zag dat de uniforms van beide onderzoekers onder het bloed zaten. 'Ik dacht dat jij... en Nick...'
'Wij niet, het waren Shanna en Joe,' zei Nick met een grimmige uitdrukking op zijn gezicht. 'Shanna heeft een kogel boven in haar schouder gekregen. De wond was door en door – een hoop weefselschade bij de uittredewond, en we wisten meteen dat haar sleutelbeen verbrijzeld was – maar we konden de bloeding in de helikopter al stoppen... en de chirurg die haar heeft geopereerd heeft ons laten weten dat het prima met haar in orde komt.'
'En Joe?' Grissom herinnerde zich de gretigheid van de jonge, levenslustige patrouilleagent.
'Toen we weggingen waren drie chirurgen nog met hem bezig,' antwoordde Sara. 'Hij had ook een schouderwond, maar de kogel is door zijn rechterschouderblad binnengedrongen, heeft zijn long doorboord en vervolgens de gewrichtskop van de schouder verbrijzeld. De hoofdchirurg kon ons nog niet veel vertellen, behalve dat zijn kansen om de eerste reconstructieve operatie te overleven heel goed leken... maar we kregen duidelijk de indruk dat Joe niet veel meer met die schouder kan uitrichten als hij is hersteld.'
'Klinkt absoluut alsof hij op vervroegd pensioen afstevent,' voegde Nick er ernstig aan toe. 'Klote voor zo'n jonge kerel.'
'Hij mag blij zijn dat hij nog leeft,' merkte Fairfax zuur op. 'Niet veel mensen overleven een ontmoeting met een vakkundige legersniper.'
'Trouwens,' zei Grissom, 'ik heb het gevoel dat onze schurkensniper geen van beiden probeerde te vermoorden... en ook niet een van ons.'
'O, echt? Wat bedoel je daarmee?' vroeg Fairfax.
Grissom haalde zijn schouders op. 'Iedereen die ik heb gesproken zegt dat hij een superscherpschutter is die onder bijna alle gevechtsomstandigheden kan opereren, en we stonden daar allemaal open en bloot en wisten totaal niet dat hij er was. Als hij ons had willen doden, dan weet ik zeker dat Jim en ik op dit moment een labeltje aan onze teen hadden hangen, net als die jongeman in de truck...

in plaats van deze jongedame,' voegde hij eraan toe terwijl hij naar een van de kleine lijkenzakken op de kar wees.
'Jongedame?' vroeg Brass.
'Herstel, een jonge muildierhertdame,' verbeterde Grissom. 'Maar een heel speciale dame, en toevallig mist er een stuk huid van vijftien vierkante centimeter uit haar rechterdij.'
'En dat moet iets te betekenen hebben?' vroeg Fairfax.
'Absoluut, als dit ontbrekende vierkant hiermee overeenkomt,' zei Grissom. Hij opende het bewijszakje en haalde er een draadgaas frame uit waar in het midden repen huid en weefsel hingen.
'Wat is dat?' vroeg Fairfax op scherpe toon.
'Het kan van alles zijn,' zei Bobby Dawson breed grijnzend, terwijl hij dichterbij kwam om het voorwerp te bekijken. 'Om te beginnen een geïmproviseerde flitsdemper.'
'Meen je dat nou?'
'Nou, dat effect kan het wel hebben,' antwoordde Dawson. 'Als je het stuk weefsel precies voor de geweerloop bevestigt, krijgen de doelwitten eronder geen duidelijk beeld van waar de schutter zit... vooral als de doelwitten nachtkijkers droegen en die geweerloop was uitgerust met een heel precies gefabriceerde geluidsonderdrukker. Tenminste, ik vermoed dat de schutter wellicht wil dat een plaats-delictonderzoeker dat gaat denken als die toevallig dit juweeltje vindt en zich het hoe en waarom begint af te vragen.'
'Je bedoelt dat die merkwaardige bewijsstukken misschien op de plaats delict verkeerd geïnterpreteerd worden en dus misleidend zijn... vooral als de technisch rechercheur niet veel van geweren en flitsonderdrukking af weet?' vroeg Catherine.
Dawson knikte zwijgend en schonk Fairfax een bedachtzaam glimlachje.
'Het maakt zeker geen groot deel van míjn leesvoer uit,' erkende Grissom.
'Maar,' vervolgde Dawson, 'het kan natuurlijk ook een heel slimme manier zijn om een zeven-punt-zes-twee hollow point af te remmen, waardoor die kogel in zijn groter wordende punt een klein stukje weefsel van een vrouwtjeshert oppikt, voordat hij verder gaat

en in de nek van onze meneer Toledano belandt. Al met al een volmaakt geldige verklaring voor heel wat onbeantwoorde vragen over dat specifieke schietincident – aangenomen, uiteraard, dat Wendy ontdekt dat dit stuk gehavende huid hetzelfde is als wat we uit de kogel hebben gepeuterd,' voegde Dawson eraan toe terwijl hij voorzichtig het bloederige ijzerdraadframe in de bewijsenvelop terugstopte, op Grissoms instemmende knikje wachtte en vervolgens het pakje aan Simms gaf.

'Ik ga er meteen naar kijken,' beloofde Wendy terwijl ze snel het ballistisch lab verliet met haar nieuwste stukje genetisch bewijs.

'Zo, nu hebben we alleen nog het geweer nodig dat om te beginnen al die vernielingen heeft aangericht,' besloot Dawson terwijl hij Grissom hoopvol aankeek. 'Helaas zie ik geen geweerhoes op je kar liggen.'

'Nou, dat zie je wel,' zei Grissom. Hij boog zich voorover, opende de tweede kleine lijkenzak en haalde daar voorzichtig iets uit wat nauwelijks meer als een geweer te herkennen was.

'Wat is dat in hemelsnaam?' vroeg Fairfax met stemverheffing.

'Dit is – of was – een militair M24 scherpschuttersrepeteergeweer,' zei Dawson, verbijsterd zijn wenkbrauwen fronsend terwijl hij naar voren stapte om het verbogen en vernielde stuk metaal vol krassen van Grissom over te nemen. 'Dit was vroeger een precisiewapen. Wat is ermee gebeurd?'

'Het lag aan de kant waarop met een 30mm machinegeweer van betrekkelijk korte afstand zo ongeveer honderdtwintig uitermate explosieve geschutskogels werden afgevuurd, als ik de legeromschrijving goed heb,' zei Grissom.

'Dat heb je,' zei Dawson, terwijl hij het verbogen metaal nog steeds met een pijnlijke uitdrukking op zijn gezicht bestudeerde. Toen leek hij zich plotseling iets te herinneren. 'Hé, wat is er met de geluidonderdrukker gebeurd?'

'Een legerkolonel, ene Sanchez, beval dat dat specifieke stukje uitrusting van het uiteinde van dat... eh... geweer moest worden gehaald voordat het aan mij werd overgedragen,' antwoordde Grissom. 'Hij zei iets over strikt geheim... en vuurwapenonderzoekers

klappen te veel uit de school... en dat het hem geen lor kon schelen of dat ons onderzoek zou helpen of schaden. Hij dacht kennelijk dat je je vergelijkingen ook wel zonder dat ding kon maken.'
'De klootzak,' mompelde Dawson, duidelijk teleurgesteld. 'Dat ding had ik nou echt wel eens van dichtbij willen bekijken.'
'En de schutter?' vroeg Bass. 'Hebben jullie van hem nog iets gevonden?'
'Ik mocht het "impactgebied", zoals zij het noemden, heel kort onderzoeken voordat ze me daarvandaan vlogen,' zei Grissom. 'Ik zag dat' – hij wees naar de verbogen geweerresten die Dawson voorzichtig in de kleine lijkenzak terugstopte – 'en ik zag een hoop kiezels waarvan ik vermoed dat daar pas nog grote zwerfkeien waren geweest, maar geen spoor van een lichaam, menselijk of anderszins... althans niet wat ik ervan kon zien.'
'Dus onze schutter loopt nog steeds vrij rond?' zei Brass met gefronst voorhoofd.
'Ja, dat vermoed ik wel,' zei Grissom. 'Volgens Sanchez werd hij achtervolgd door een nogal pissige Zuid-Koreaanse majoor uit het leger, die een probleem heeft met militaire sniperinstructeurs die misbruik maken van hun talenten. Met een beetje geluk zitten die twee ergens diep in de bergen, ver ten noorden van ons.'
'Ja, op onze plaatsen delict kunnen we zo'n vent missen als kiespijn,' merkte Brass op. 'Ik krijg er de rillingen van als ik er alleen al aan denk.'
'Zo is het maar net,' stemde Grissom in, 'maar om een heel andere reden dan je misschien verwacht.'
'O?' antwoordde Brass, en hij trok zijn rechter wenkbrauw nieuwsgierig op.
'Eerste sergeant Viktor Mialkovsky,' vervolgde Grissom. 'Zo heet onze schutter, die toevallig een extreem gevaarlijk man is – althans volgens kolonel Sanchez, die hem kennelijk heel goed kent. Persoonlijk zou ik liever nooit meer iets van Mialkovsky willen zien of horen, maar dat zou wel eens niet het geval kunnen zijn, want helaas blijkt dat hij en ik elkaar al eens hebben ontmoet.'
'Meen je dat nou?' antwoordde Nick weifelend. 'Hoe dan?'

'Ja,' viel Sara hem bij, 'hoe kom je nou ooit zo'n kerel tegen? Je hebt toch niet in het leger gezeten?'

'Nee, ik heb niet in het leger gezeten,' zei Grissom met een glimlachje terwijl hij naar het onderste schap van de kar reikte en er een dik gebonden handboek vanaf pakte, 'maar ik was een paar jaar geleden wel op een conferentie van de American Academy of Forensic Sciences, en heb toen een behoorlijk interessant ontbijtpraatje aangehoord over plaats-delictonderzoek op in ontbinding verkerende walrussen. En ik weet nog dat ik na die presentatie net zo'n bizar maar interessant en gedetailleerd gesprek had met een geüniformeerde legersergeant die bij mij aan tafel had gezeten. Die sergeant zei dat hij onderzoek verrichtte naar en reconstructies deed van schietincidenten voor de Adjunct General's Office, en wiens naam me indertijd nogal ongebruikelijk in de oren klonk.'

'Mialkovsky?' zei Brass zacht.

Grissom knikte langzaam met zijn hoofd. 'Ik moest de proceedings van die AAFS-conferentie erop naslaan om er zeker van te zijn, maar zo heette hij absoluut.' Grissom opende het handboek bij een bladwijzer. '*Mialkovsky, Viktor, stafsergeant, U.S. Army, master in de forensische wetenschappen.*'

Het bleef een hele poos doodstil in het lab.

'Dus hij is een legersniper én een forensisch wetenschapper?' zei Brass ten slotte op gedempte toon.

'Wel volgens de AAFS... en ik kan me nog herinneren dat ik toen dacht dat hij voor een leger-MP ongelooflijk veel van gerechtelijk onderzoek wist,' voegde Grissom eraan toe.

'Zo'n kerel zou niet veel moeite hebben om een plaats delict in scène te zetten, wel?' mompelde Greg.

'Nee, inderdaad niet... en ik ben bang dat we daarvoor moeten uitkijken als hij deze... eh... interactie met die beste majoor Park weet te overleven en vervolgens weer onze richting op komt,' zei Grissom berustend, terwijl hij zich omdraaide en Fairfax aankeek, 'wat me er trouwens toevallig aan doet denken dat we een tweede in scène gezette plaats delict moeten oplossen.'

Even leek het erop dat de DEA-supervisor zijn beheersing zou verliezen, maar toen herstelde hij zich en keek peinzend naar Grissom.

'Meneer Grissom, ik heb geen reden om aan te nemen dat er op enigerlei wijze met de plaats delict van ons schietincident is gesjoemeld,' zei hij ten slotte op kalme toon. 'Is er bewijs gevonden waar ik iets over moet weten?'

'Ja,' zei Grissom. 'Voordat we een paar uur geleden naar de kampeerplek teruggingen, hebben mijn team en ik het interieur van de truckcabine op kruitresten onderzocht.'

'En u hebt bevestigd dat onze verdachte inderdaad zijn geweer één keer heeft afgevuurd, door het dak van de truck – waarbij de binnenkant van de cabine onder de kruitresten kwam te zitten – vlak nadat hij werd beschoten,' citeerde Fairfax. 'Ja, ik kan me herinneren dat u dat hebt gezegd. En?'

'Wat ik niet heb vermeld,' ging Grissom kalm verder, 'was het feit dat de grond van de cabine ook compleet bezaaid was met een fijne – en net zo verspreide – laag kruitresten... met inbegrip van het gedeelte onder de voorbank aan de passagierskant, waar we die hammerless Smith & Wesson revolver hebben gevonden.'

Fairfax wilde wat zeggen, maar hield zich in.

'En aangezien we nergens in de cabine – op de vloer noch op de banken – kruitsporen van een hammerless Smith & Wesson revolver hebben aangetroffen,' voegde Grissom er schokschouderend aan toe, 'is het naar mijn mening vrij duidelijk dat dat pistool op een bepaald moment na het schietincident in de cabine is gelegd. Wij noemen dat een plaats delict waarmee gesjoemeld is.'

'Dat pistool kon uit zijn jaszak zijn gevallen toen hij geraakt werd – of toen de truck plotseling tot stilstand kwam,' wees Fairfax hem terecht.

'Dat is waar,' zei Grissom instemmend, 'maar als dat het geval was geweest, zou je verwachten dat de kamers en andere holtes van het wapen onder het bloed hadden gezeten, niet alleen de buitenkant – alsof het op een paar verse bloedspatten onder de voorbank van de passagier is gevallen of gegooid.'

'Dus gaat u nu Jane Smith beschuldigen van het vervalsen van bewijs? Bedoelt u dat soms?' vroeg Fairfax op hoge toon.
'Nee, eigenlijk niet,' zei Grissom. 'Ik heb geen idee wie die revolver na het schietincident in de truckcabine heeft gelegd. Maar er zijn slechts een paar mogelijkheden, en ik weet zeker dat – op een bepaald moment – een rechter of jury de juiste conclusies zal trekken. Ik denk dat de volgende vraag veel interessanter is: wie heeft het fatale schot afgevuurd dat de truckbestuurder feitelijk heeft gedood... en was dat specifieke schot gerechtvaardigd?'
'Om daarachter te komen, moet u de fatale kogel vinden,' bracht Fairfax hem in herinnering. 'En voor zover ik weet, hebt u niet...'
'Feitelijk, agent Fairfax,' onderbrak Catherine hem, 'geloof ik dat meneer Dawson en ik wat nieuw licht op deze vragen kunnen laten schijnen.' Ze keek naar Dawson. 'Zijn we het eens?' vroeg ze aan de vuurwapenexpert.
'Ja,' zei Dawson met een knikje. Hij keek Fairfax nog even peinzend aan.
'Waar hebben jullie het over?' vroeg Fairfax met stemverheffing. Zijn ogen waren ongerust opengesperd.
'We hebben alle schutters en de truck in hun relatieve positie ten opzichte van elkaar weten te plaatsen, tijdens de paar seconden dat de verdachte schietpartij feitelijk plaatsvond,' zei Catherine. 'En we waren in staat om elk relevant schot terug te voeren... behalve dat ene dat het hoofd van het slachtoffer heeft weggeblazen en dat door de achterruit van de truck naar buiten is gekomen.'
'Dat is de kogel die je niet hebt kunnen vinden en waarschijnlijk ook nooit zult vinden,' zei Fairfax ongeduldig.
'Nou, u hebt het over de kogel die we waarschijnlijk nooit hadden kúnnen vinden als we niet de beschikking hadden gehad over al die 3D-driehoeksmetingen die Warrick op basis van die specifieke schutter-truckposities heeft uitgevoerd, waardoor agent Cooperson zich uiteindelijk met een metaaldetector op een heel specifiek reepje woestijn kon richten... en ze dit vond,' zei ze terwijl ze naar haar vergelijkingsmicroscoop liep en een glanzende kogel met groene punt van een van de twee objecttafels pakte.

Fairfax staarde met zichtbaar ongeloof naar het projectiel in Catherines hand.
'Agent Cooperson vond een afgevuurde .308 verharde geweerkogel die meneer Dawson heeft weten te koppelen aan het .308 Winchester 700 viziergeweer dat u vanochtend vroeg bij ons hebt afgeleverd,' verklaarde Catherine. 'Een geweer dat volgens mijn informatie in handen was van een DEA-protectieteam op of in de buurt van de locatie waar de schietpartij in kwestie plaatsvond. Ik heb de match een paar minuten geleden bevestigd, maar ik kan u niet vertellen of deze kogel door het hoofd van ons slachtoffer is gegaan – en door het raam van zijn truck – omdat op deze kogel geen bloed zat om die specifieke relatie te kunnen leggen. Als er ooit bloed op deze kogel heeft gezeten, dan is dat ongetwijfeld weggeschuurd door de inslag in de zandhoop waar hij is gevonden... of weggewassen door de regen... of beide. Niet dat het veel uitmaakt,' besloot de senior onderzoeker schouderophalend.
'En we zijn nog niet klaar met ons verslag, agent Fairfax,' zei Bobby Dawson resoluut terwijl hij naar zijn microscoop liep en een voorwerp van een van de objecttafels pakte.
'Wat is dat?' vroeg de DEA-supervisor op hoge toon, zijn gezicht was nu onmiskenbaar rood aangelopen.
'Dit is een kogel' – Dawson hield het misvormde stukje metaal in de palm van zijn rechterhand – 'met een uitermate interessante geschiedenis. Het begon in het .40 kaliber Sig-Sauer pistool van agent Grayson, doorboorde de rechterachterband van de truck van het slachtoffer en wist vervolgens langs Jane Smiths voorhoofd te schampen, waardoor een reeks ongelukkige gebeurtenissen in gang werd gezet... waarvan de relevantste is – en ik geef toe dat ik hier een gokje waag – de volkomen begrijpelijke beslissing van een van de DEA-agenten, die het hele schietincident door het vizier van zijn Winchester 700 geweer volgde, om het slachtoffer, van wie hij geloofde dat hij Paz Lamos was, met een enkel schot door het hoofd neer te schieten onmiddellijk nadat hij Jane Smith naar achteren zag vallen en naar haar hoofd zag grijpen toen ze door Graysons kogel was geraakt.'

Fairfax bleef zwijgen, kennelijk in de war.
'Wacht eens even,' zei hij ten slotte. 'Ik dacht dat jullie me hadden verteld dat Grayson dat schot op Smith niet had kunnen lossen omdat zij niet in het schootsveld stond?'
'Dat is waar, dat stond ze ook niet,' bevestigde Warrick.
'Maar hoe is dan...?'
'Waar we geen rekening mee hadden gehouden,' vervolgde Catherine, 'was de mogelijkheid dat de kogels die Grayson op de achterbanden van de truck heeft afgevuurd, wellicht op een hard voorwerp zijn afgeketst nadat hij de band had doorboord.'
'En we hadden ook niet goed door dat agent Grayson vanuit een, ten opzichte van de rijbaan van de truck, enigszins lage hoek op de truck schoot, waardoor de kogels zich niet onmiddellijk in de grond groeven,' voegde Warrick eraan toe. 'Maar toen ik eenmaal alle gegevens in elkaar kon passen – met inbegrip van alle met de laser ingescande rotsformaties – in een 3D-terreinreconstructie, waren er drie rotsformaties die interessante mogelijkheden boden.'
'Toen we al het zand dat zich waarschijnlijk door de storm had opgehoopt van de tweede rotsformatie hadden weggeveegd,' ging Catherine verder, 'ontdekte ik iets wat leek op een verse streep koper en lood op een hoekig oppervlak van een specifieke rots die in lijn stond met Smiths gerapporteerde positie... wat op zijn beurt ons een twéède vector gaf die naar de derde rotsformatie liep, die kennelijk had gefungeerd als een heel handige achtervanger, want daar vond ik met een metaaldetector de kogel: begraven onder ruim zeven centimeter zand. Ik vergeleek de kogel met Graysons pistool en Bobby heeft de overeenkomst zojuist bevestigd.'
'Maar hoe weet je dan...' wilde Fairfax vragen, maar Catherine onderbrak hem weer.
'... dat Graysons kogel inderdaad Smith heeft geraakt? Dat weten we niet... nog niet.'
'Maar daar komen we wel achter, reken daar maar op,' zei Dawson terwijl hij op zijn horloge keek, 'over een uur of zo, wanneer Wendy's DNA-vergelijkingstest ons vertelt of het kleine stukje weefsel dat we onder het afgerukte gedeelte van deze kogel – het gedeelte dat

zich begon te vergroten nadat het tegen de rots afketste en voordat de kogel Smith raakte – overeenkomt met het DNA-monster dat we ter plaatse van Smith hebben genomen.'
'Ik vermoed dat ze wel overeenkomen,' besloot Catherine. 'Ik kan het mis hebben, maar dat denk ik niet.'
'Op het gevaar af dat ik voor hoofdinspecteur Brass spreek,' zei Grissom, 'hebben we in mijn ogen volgens opdracht een verdacht schietincident gereconstrueerd, en kunnen we uw aanvankelijke bewering bevestigen dat dit incident gerechtvaardigd was. Helaas ziet het er ook naar uit dat een min of meer onschuldige hertenstroper zich op twee heel verkeerde plekken wist te manoeuvreren – en op twee uitermate ongelukkige tijdstippen – en ook nog binnen een uur tijd... wat uiteindelijk tot zijn gewelddadige dood heeft geleid door toedoen van een geheim team van federale en staatsagenten, die in de paar seconden die ze hadden om een besluit te nemen, zijn kennelijk agressieve acties verkeerd interpreteerden, wat heel begrijpelijk is.'
'Aangenomen, uiteraard, dat onze hertenstroper en Ricardo Paz Lamos niet een en dezelfde persoon zijn,' zei Brass.
'Dat is zo,' zei Grissom, 'maar al het gevonden bewijs wijst in een andere richting. Los van het feit dat ons slachtoffer in alles een wanhopige armoede vertoonde, vind ik het moeilijk me voor te stellen dat een crimineel met een dodelijke geschiedenis als Ricardo Paz Lamos zich inlaat met een cocaïnedeal van hoog niveau met zes goedbewapende personen, terwijl hij zelf bewapend was met een enkelschotsgeweer en een zelfgemaakte kruisboog. Jullie hebben hem als gestoord en onvoorspelbaar betiteld,' voegde hij eraan toe terwijl hij zich tot Fairfax wendde, 'maar je kunt het ook overdrijven.'
'Dus als ons slachtoffer niet Paz Lamos is, waar is hij dan?' vroeg Catherine terecht.
Fairfax slaakte een diepe zucht. 'Ik vermoed dat hij of onze surveillance in de gaten heeft gekregen, of dat hij zich uit de voeten heeft gemaakt toen Toledano en zijn bodyguard arriveerden en de berg op gingen.'

'Er is ook nog een derde mogelijkheid: dat hij Mialkovsky tegenkwam terwijl die Toledano in de gaten hield,' zei Brass, 'en in dat geval ligt er wellicht nog een lijk op die berg.'
'Als dat zo is, dan hebben de beesten daar een feestmaal aan zijn rottende karkas,' gromde Fairfax terwijl hij zich tot Grissom wendde. 'Ik ben meer geïnteresseerd in de rest van uw verslag.'
'Veel meer valt er niet te zeggen, behalve dan het voor de hand liggende,' antwoordde Grissom. 'Als de tweede, afketsende kogel van agent Grayson Smith niet op dat specifieke moment en op die specifieke plek had geraakt, kan men alleen maar gissen naar hoe het incident zichzelf zou hebben opgelost... want het is ook duidelijk dat in dat geval geen van de undercovers hun wapens zouden hebben getrokken met de bedoeling om te doden, totdat ze de knal uit de loop van het geweer van het slachtoffer in de cabine zagen.'
'Gerechtvaardigd?' Fairfax draaide zich naar Brass om. 'Gaat u dat werkelijk in uw rapport zetten?'
'Waar ik vraagtekens bij ga zetten is de beslissing om een informant op de plaats delict toe te staan, met in haar bezit een paar pistolen die ooit aan de vermeende verdachte toebehoorden,' zei Brass, 'en ik zal ook het feit vermelden dat een van die pistolen uiteindelijk onder verdachte omstandigheden in de truckcabine van het slachtoffer terecht is gekomen. Maar, ja, als ik eenmaal het eindverslag van het lab heb ontvangen, zal ik zelf een eindrapport uitbrengen waarin de acties van alle undercovers op uw plaats delict worden vermeld.'
Fairfax wilde wat zeggen, maar aarzelde opnieuw, de laatste keer... en stak toen eenvoudigweg zijn hand uit naar Brass. 'Dank u wel,' zei hij oprecht. 'Ik had niet verwacht dat de zaken zo zouden uitpakken.'
'Eerlijk gezegd,' zei Brass met een grimmig glimlachje, 'ik ook niet.'

23

Twee uur later was de storm weer aangewakkerd en werden de straten van Las Vegas met een volgende zondvloed overspoeld waardoor de zelden uitgedaagde stormriolen overbelast dreigden te raken.

Tegelijk met de storm dook een gast weer bij de receptie van het luxe Silver Garden Casino en Hotel op. De mooi aangeklede en heel aantrekkelijke receptioniste keek met een warme glimlach van herkenning op. 'Meneer Haverstrom, u bent vroeg. We hadden u pas later terugverwacht...' De receptioniste aarzelde en knipperde verschrikt met haar ogen toen ze zijn gezicht zag. 'O, mijn god, wat is er met u gebeurd?'

'Een klimongeluk.' Mialkovsky haalde achteloos zijn schouders op. 'Ik had in het kamp moeten blijven wachten tot de storm over was, maar ik dacht dat ik voor de storm uit de afdaling wel zou kunnen halen. Een ongelukkige beslissing, zoals u ziet,' zei hij terwijl hij een verbonden rechterhand opstak.

'Maar bent u wel in orde... niet zwaargewond?'

'Vooral bulten en blauwe plekken,' zei de jager-doder schokschouderend. 'Ik heb geluk gehad. Een ander lid van mijn gezelschap is veel gemener ten val gekomen.'

'Gemener?' Het mooie gezichtje van de jonge receptioniste stond geschrokken.

'We gleden allebei uit. Ik wist een boomtak vast te grijpen die mijn val brak, hij niet... eenvoudig een kwestie van geluk en timing. Hij is een taaie, dus ik weet zeker dat hij met een paar dagen weer rondloopt. Ik vermoed dat we allebei beter zouden moeten weten dan te doen alsof we twintig jaar jonger zijn,' voegde Mialkovsky er met een vrolijke glimlach aan toe.

'Dus daarom wilden uw vrienden u bereiken... ze vroegen zich natuurlijk af of het goed met u ging,' zei de receptioniste.

'Zijn mijn vrienden langs geweest?'
De receptioniste knikte. 'Ik heb ze gezegd dat we u pas op zijn vroegst morgen van uw klimtocht terugverwachtten. Ik hoop dat dat goed was. We mogen eigenlijk geen informatie over onze gasten geven, maar ze klonken zo bezorgd, en ik...'
'Maak je geen zorgen, geen enkel probleem,' zei Mialkovsky geruststellend. 'Ik ben alleen verbaasd dat ze me hier hebben weten te vinden. Ik heb pas op het laatste moment mijn boeking geüpgraded naar het Silver Garden – waarschijnlijk een van die impulsieve beslissingen waarom ik bij mijn vrienden bekendsta.'
'Eigenlijk wisten ze niet zeker of u hier logeerde,' bekende de receptioniste. 'Ze zeiden dat ze op zoek waren naar een vriend die in de stad verbleef, en de omschrijving die ze gaven sloeg perfect op u... met name het gedeelte over uw... eh... hand,' voegde de jonge vrouw eraan toe, duidelijk in verlegenheid gebracht.
'O, dit?' Mialkovsky stak zijn in handschoen gestoken linkerhand op waaraan de pink ontbrak. Dat is al zo lang geleden gebeurd, ik vergeet steeds dat ik hem niet meer heb.'
'Nou, het valt wel op... en behoorlijk, weet u, cool... ik bedoel, dat u er toch mee kunt bergbeklimmen en zo,' stamelde de jonge receptioniste blozend.
'Cool, hè?' Mialkovsky grinnikte waarderend. 'Ik kan niet wachten om het aan mijn vrienden te vertellen... ze zullen het geweldig vinden. Wanneer waren ze hier, zei je?'
'O, nog maar een paar minuten geleden,' zei de receptioniste, opgelucht kijkend, maar nog steeds een beetje gegeneerd. 'Daarom was ik zo verbaasd u hier te zien...'
Mialkovsky keek snel op zijn horloge.
'Nou, in dat geval kan ik maar beter gaan voordat we elkaar weer mislopen. Heb ik alles betaald?'
'O, u krijgt het geld van de komende nacht terug...'
'O, laat maar zitten, doe het maar in de fooienpot van het personeel,' zei Mialkovsky achteloos terwijl hij met zijn niet-gewonde hand zijn duffelse tas oppakte. 'Ik heb het hier erg naar mijn zin gehad, ondanks mijn ongelukje. Ik hoop gauw terug te komen.'

'U bent altijd van harte welkom, sir, wanneer dan ook,' zei de jonge receptioniste, nog steeds blozend terwijl ze de knappe meneer Haverstrom snel de deur uit zag lopen, zichzelf vermanend dat hij echt te oud voor haar was, maar toch...

Terwijl de taxi met Viktor Mialkovsky afsloeg naar Flamingo Road, keek de jager-doder achterom door de achterruit en zag iets wat leek op een gecombineerde actie van de militaire politie en de politie van Las Vegas. Het team stapte uit hun auto's en omsingelden snel de voor-, zij- en achteringangen van het Silver Garden Casino en Hotel. Hij vloekte binnensmonds.
'Sorry, sir?' zei de taxichauffeur, over zijn schouder kijkend.
'Ik zei: "Nooit meer",' antwoordde Mialkovsky kalm.
'Hebt u het in het Silver Garden niet naar uw zin gehad?' De taxichauffeur knipperde verbaasd met zijn ogen.
'O, het hotel was prima: uitstekende kamers en eersteklas personeel. Uiteindelijk werd alles me een beetje te heet onder de voeten,' zei Mialkovsky, met zijn gedachten ergens anders. 'Ik heb het normaal gesproken liever wat koeler.'
'O ja, sir, ik ook,' stemde de taxichauffeur in, en hij hield zijn mond toen Mialkovsky's mobieltje rinkelde.
'Hallo?'
'Gisteravond is er in de woestijn een ongeluk gebeurd,' gromde een donkere stem onheilspellend.
'Ja, dat heb ik gehoord,' bevestigde Mialkovsky.
'Daar waren we niet blij mee.'
'Nee, dat zal wel niet.' Mialkovsky's stem bleef kalm, maar zijn ogen hielden de omgeving nu nauwlettend in de gaten.
'Wat ik bedoel te zeggen is, we waren niet blij met uw cliënts beslissing om uw... diensten in te huren,' corrigeerde de donkere stem zichzelf. 'We nemen aan dat úw acties professioneel zijn uitgevoerd.'
Mialkovsky aarzelde even. 'Dat is een kwestie van hoe je het opvat,' zei hij ten slotte. 'Ik zou niet willen zeggen dat ik mijn honorarium in dit specifieke geval heb verdiend.'

'We begrijpen dat uw eindproduct niet aan uw normale niveau voldeed. Misschien wilt u een nieuwe kans... om het een en ander aan te passen en uw honorarium op fatsoenlijke wijze te verdienen?' opperde de donkere stem.
Mialkovsky aarzelde opnieuw. 'Had u een tijdslimiet in gedachten?'
'Liever vroeg dan laat. We zouden niet willen dat uw voormalige cliënt nog meer onfortuinlijke fouten gaat maken... of te veel over zijn eerder gemaakte fouten kwijt wil.'
Mialkovsky aarzelde nogmaals een paar seconden toen hij een besluit nam. 'Ja, ik zou mijn reisplannen kunnen veranderen en nog een paar dagen kunnen blijven.'
'Schitterend,' antwoordde de zware stem. 'We wachten tot u contact met ons opneemt.'
Klik.
'Eh, terug naar uw hotel?' vroeg de taxichauffeur na een kleine aarzeling.
'Nee, ik denk dat ik maar eens iets aan de andere kant van de stad ga proberen. Breng me naar het Orpheus Hotel,' antwoordde Mialkovsky terloops. 'Ik vind verandering van omgeving altijd heel verfrissend.'

Dankwoord

Mijn oprechte dank gaat uit naar mijn redacteur, Ed Schlesinger, die een scherpe neus heeft voor mysterie, en een twijfelachtig duivels talent om de lezer in spanning te houden. En naar mijn literair agent, Eleanor Wood, die me in al die jaren geweldig heeft gesteund en aangemoedigd.

Speciale dank gaat uit naar mijn maatje en criminoloog Luke Haag, die de complete wetenschap van de schietincidentreconstructie behandelt in zijn schitterende – en toepasselijk getitelde – nieuwe naslagwerk dat, naar mijn absoluut subjectieve mening, verplichte kost zou moeten zijn voor alle technisch rechercheurs – of ze nu in opleiding zijn, in de praktijk werken of ouwe rotten in het vak zijn.

Luke huldigt, net als veel andere oldtimers in het veld (mijzelf incluis), het idee dat je in de praktijk zorgvuldig, systematisch, analytisch en ethisch te werk moet gaan. Maar forensisch wetenschappers mogen nooit vergeten dat hun werkelijke rol in het laboratorium of op een plaats delict eruit bestaat dat ze moeten nádenken over wat het bewijs dat ze onder ogen krijgen precies betekent. Onderstaande opmerking over de door de roep om erkenning gedreven trend dat forensische laboratoria in de VS (en in de hele wereld) voor elk door hun wetenschappers verricht onderzoek strenge protocollen vaststellen, en daarmee – doelbewust of niet – 'testmenu's' samenstellen waaruit de onderzoekers kunnen kiezen als ze hun bewijs inleveren is actueel en op haar plaats:

'In deze strikt reactieve rol fungeert de forensisch wetenschapper helemaal niet meer als wetenschapper. Hij of zij is eerder gedegradeerd tot de rol van technicus...

Hij of zij mag dan de vereiste testen correct en in overeenstemming met een goedgekeurde, gestandaardiseerde, gecertificeerde of erkende methodologie uitvoeren, maar ze vervullen niet de ware rol van een forensisch wetenschapper.'

– Lucien C. Haag, 2006, *Shooting Incident Reconstruction*

Over de auteur

Ken Goddard, voormalig hulpsheriff, CSI forensisch wetenschapper bij de politie en directeur van een gerechtelijk onderzoekslab, is momenteel directeur van het National Fish en Wildlife forensisch laboratorium. In de afgelopen negenendertig jaar heeft Ken CSI-technieken gedoceerd aan lokale, staats-, federale en internationale gerechtelijk onderzoekers, en vandaag de dag past hij politie/wild-park CSI-technieken toe om beschadigde koraalriffen te onderzoeken. Eerdere romans van hem zijn *Balefire, The Alchemist, Prey, Wildfire, Cheater, Double Blind, First Evidence* en *Outer Perimeter*. Ken woont met zijn vrouw in Ashland, Oregon.